LA NATTE COUPÉE

FRANÇOISE XENAKIS

LA NATTE COUPÉE

roman

BERNARD GRASSET

PARIS

Pour Iani.
Pour Mâkhi.

Elle a vingt ans, elle virevolte, tourne, ondoie, sa robe du soir lui laisse les épaules nues. Elle rit. Fort. S'arrête soudain et, bras arrondis, offrande, donne du champagne à l'homme qui se tient dans une des embrasures du salon. Puis elle recommence ; et, tandis que les lumières des lustres jouent dans son verre pour éclater, myriades de faisceaux, sur les cristaux et les glaces qui cernent la cheminée, elle valse.

Elle valse, sur un air qu'elle croit encore savoir et qu'elle chante en elle. Et les tableaux aux murs ne sont plus qu'une longue tracée de couleurs... Elle valse, tandis que sa robe du soir bâille de plus en plus — il manque plus de deux mains dans le dos pour qu'elle se ferme —, elle valse tandis que le rouge de ses lèvres coule, comme l'eau de pluie après un orage sur des chemins de terre et le rouge sillonne toutes les ravines du bas de son visage et de son cou. Elle valse, valse, sur un air qu'elle est seule à savoir depuis très longtemps et qu'elle se chante au-dedans de sa tête.

Vingt ans ? Quatre-vingts ? Plus ? Sûrement, oui. Et elle sourit, les yeux fous, tandis qu'elle offre — « encore, encore, je le veux » —, mutine, une coupe de champagne au garde du corps qu'elle s'est loué. Dernière parade, dernier paravent, dernier mur pour écarter le moment où la solitude l'empoignera et la laissera ivre morte sur le tapis de soie et de Perse, hurlante de terreur.

Il rit aussi, le garde loué à la journée, le garde lourd de ses muscles de tueur momentanément reconverti dans le gardiennage de riches... Le chef de l'agence est un ancien commissaire de police ; il les tient tous, ses employés, avec des dossiers douteux — c'est si évident, pourquoi même le dire ! Et quand un vieillard aisé, très aisé, a vraiment trop peur, en une semaine ils peuvent, et le commissaire et ses gardes, se ramasser de quoi vivre au soleil plusieurs mois.

Ici, la poire est bonne, et le garde ne s'est pas

fait remplacer une seule fois. Pour tout dire, la poire est énorme.

« Et de plus... Merde, dis donc, elle me touche, la vieille... »

« Mais non, j'ai pas dit : " Elle me touche " ; enfin j' l'ai dit, mais pas dans le sens de... Oh, rigole, rigole, crois-moi pas si tu veux : ben voilà, j'ai envie de la prendre dans mes bras et de la bercer... Moi! tu te rends compte?... et de lui dire que, non elle n'a rien à craindre... Tu sais, j' suis pas un type comme celui d'avant, qui se planquait dans la salle du restau et qui passait derrière sa table toutes les cinq minutes pour lui marmonner : " Madame peut être tranquille, je suis là, je *les* ai à l'œil. A l'œil les Russes, les communistes, les loulous, les pédés, les drogués! " Et il finissait toujours par lui murmurer, en montrant son veston gonflé : " D'ailleurs, que Madame se rassure, je suis armé! "

« Bref, tu vois c' que j'veux dire : non, ça, c'est vraiment trop dégueulasse. Et elle, c'est sûr, elle me touche. Oh, rigole, rigole, va... »

* *
*

Au village, c'est fête. On boit, on mange, on chante. Les hommes dansent. Les femmes, debout, en retrait des chaises où sont assis les vieux et les musiciens, les regardent — la main de l'un nouée à la main de l'autre par un mouchoir blanc. Ils chantent et dansent tandis que joue le joueur de lyra, aveugle, et que son pied droit qui scande le rythme creuse une marque dans le sol, ou plutôt accentue celle que d'autres joueurs ont déjà faite, assis à cette place à chaque fête depuis que le village est là.

L'orage est presque au-dessus des maisons. L'air sent, bien sûr, la viande grillée, mais l'odeur qui domine est celle de la soupe, la soupe de blé concassé, roulé dans de la graisse de mouton et qui bout des jours et des jours. Quand le sol et les alentours d'un village commencent à sentir le suint chaud, c'est qu'une fête se prépare. Là l'odeur est si forte qu'elle affole les bêtes. A hauteur des bouches, l'air est lourd aussi de vapeurs d'anis.

Les enfants courent, crient, coupent la ronde des hommes qui s'accélère. Parfois un des hommes sort du groupe et, seul au milieu du cercle, improvise des pas ou mime l'amour, yeux fermés, pour lui. Les vieilles, ventre en avant, rient, édentées, derrière leur fichu noir ramené sur le bas du visage. Les jeunes filles, au fichu de couleur elles, se tiennent serrées, dodelinent de la tête et rient, d'un rire trop haut, d'un rire de tête, un peu plus loin du groupe, un rien à l'écart des autres.

Et la fraîcheur arriva, avec un grand coup de vent. Seule la terre dégageait encore sa charge de soleil retenue. Les chiens, les chats, les enfants, et quelques jeunes gens exténués tour-nèrent un peu sur eux-mêmes, trois, quatre fois, comme pour creuser leur marque eux aussi ou mieux chasser la chaleur du sol, et se couchèrent à terre.

C'est alors que le jeune homme aux cheveux noirs lissés en arrière et retenus par une résille noire à grosses mailles, le jeune homme qui dansait pieds nus, s'est approché du groupe des jeunes fillles, a pris la main d'Ada, puis doucement, a fait glisser son foulard, rouge ce soir-là. Et en un seul geste, en un seul élan a sorti le poignard de sa ceinture de soie noire, enroulé autour de son poignet gauche, la natte longue et dorée qu'elle portait, jusqu'au bas des reins, et l'a coupée. D'un coup.

Les hommes avaient interrompu leur danse.
L'homme à la lyra s'était, lui aussi, arrêté de
jouer, avant même que le jeune homme ait fait
glisser le foulard d'Ada. Il s'était levé, son petit
violon au bout du bras, et avait tendu son visage
mort vers il ne savait quoi... Mais la rapidité
des pas, ou quelque prescience, l'avait averti de
l'imminence d'un drame. Les bêtes aussi
s'étaient toutes dressées, réveillées par ce silence
blanc.

Bien sûr, après, il y eut des cris, des
bousculades, tandis que le frère aîné d'Ada la
tirait hors du village en courant d'une traite,
jusqu'à la maison dans la montagne. Et ça n'est
que la porte refermée, sur elle et ses cheveux
courts, qu'ils osèrent reprendre leur souffle.
Sans se parler. Sans se regarder.

On était en août. Elle allait avoir quinze ans
dans quelques mois, et c'est donc ce soir-là, à
cette fête-là, qu'il avait osé, oui, osé le geste. Il
lui avait bien murmuré, crié, chanté, hurlé des

fois et des fois dans ces montagnes qu'il le ferait, elle écoutait mais ne pouvait le croire.

Bien sûr et depuis qu'elle était enfant, elle disait à ses frères que ça serait lui. Ses frères répondaient que l'on verrait plus tard. Sa mère veuve murmurait : « Un bon travailleur, ma fille, un beau troupeau, ma fille, un beau guerrier, ma fille », mais jamais rien de plus. Car, chez elle, on ne pouvait, hélas, entendre parler de ce mariage, à cause d'une sordide histoire de droit de passage pour une source, bien avant même l'enfance de sa mère... Chacune des deux familles prétendant que le chemin qui y conduisait était sur ses propres terres. Il y avait alors eu procès, et la famille du jeune homme, avec de faux témoignages disait-on chez Ada, avait gagné. Avant, avant le procès, quand le chemin appartenait à la famille d'Ada, les autres l'empruntaient. Mais le clan du garçon, heureux d'avoir gagné et de posséder un papier l'attestant, proposa à ceux d'Ada de continuer d'y passer, et même de leur faire un certificat les y autorisant, eux, mais bien sûr pas leurs héritiers éventuels. Honte ! Et plus jamais une chèvre, une brebis, ni un homme ni une femme de chez Ada, non, ne prirent ce chemin-

là. Ils allaient maintenant à une autre source,
bien plus lointaine...

« Les marier ? grondait la mère, veuve, qu'ils
nous rendent d'abord notre source ! » Mais le
procès avait eu lieu, entre deux vieillards morts
depuis longtemps, et plus personne n'y pouvait
rien. Et donc le mariage, impossible à jamais.

Ce qu'il avait osé, à cette fête de fin de
moisson... est-ce parce qu'il faisait si lourd ?

Depuis longtemps déjà, enfin, une cinquan-
taine d'années, ici, on n'enlevait plus une jeune
fille, mais lors d'une fête, lorsque tout le village
était réuni, le jeune homme qui voulait épouser
une fille contre le gré des familles s'approchait,
écartait le foulard qu'il roulait dans sa poche à
lui et, de son poignard, coupait la longue natte
de l'aimée. Il fallait alors les marier, et vite ! car
la jeune fille, cheveux courts, n'en était plus
une ; et si elle avait laissé le jeune homme
s'approcher d'elle si près, c'est qu'elle était déjà
sa femme. La famille alors s'inclinait.

Mais pas celle d'Ada.

Depuis, les fruits non cueillis tombaient à
terre où ils pourrissaient. On n'allait plus même
à la recherche des bêtes perdues. On se terrait
dans la vallée.

Et Ada était grosse. Quand sa mère avait compris que sa taille s'alourdissait, elle avait essayé de faire se dessécher et tomber cette vie-là. Elle avait pris une poule noire lourde d'un œuf fini en elle, l'avait cousue, qu'elle ne puisse le pondre, et l'avait gardée sept jours durant dans un trou recouvert de pierres, que le soleil n'y entre jamais. Au bout de sept jours, elle avait ouvert et recouvert la poule morte de cendres... Elle avait attendu, attendu, brûlant cierge sur cierge à la chapelle et donnant des offrandes de plus en plus importantes. Normalement Ada aurait dû mettre bas avant terme. Mais rien ne vint... Jamais, jamais, de mémoire de femme dans cette maison, ce sort-là n'avait échoué. C'était donc bien que la famille du garçon, qui leur avait volé et la source et la fille, était au mieux avec le diable ?

Alors, sa mère, à regrets, à terribles regrets, à regrets noirs car elle aimait tant Ada et ses rires, Ada et ses courses dans la plaine, Ada et ses jeux avec les bêtes, Ada et ses tendresses, Ada et ses bouderies, Ada et ses gourmandises, Ada et ses paresses, elle respectait tant son fils aîné devenu le maître à la mort du père... et après ? Après il faudrait qu'il se cache des années dans la

montagne, qu'elle ne le revoie qu'en cachette,
mais si rarement... Peut-être même qu'elle ne
le reverrait plus. Et les terres arrachées aux
cailloux, qui, sans lui, allaient retourner en
jachère. Alors sa mère après avoir prié, prié
qu'une solution lui vienne, mais comme aucun
signe n'était apparu, au soir de la fête de
l'Automne et des Fèves, après lui avoir caressé
d'un brin de basilic trempé dans le miel les
lèvres et le front — qu'il demeure bon pourtant —, elle lui avait donné le plus beau
poignard de la maison, celui qui restait dans le
coffre, et lui avait alors ordonné d'aller au
village : qu'il égorge l'amant de la petite et
coure tout de suite après, sans revenir ici, se
terrer dans la montagne.

Lui, depuis des mois, y avait d'ailleurs
préparé sa cache, et n'attendait plus que l'ordre
de la mère. Il savait, depuis le soir où l'autre
avait coupé la natte de la petite sœur, qu'il
aurait à le faire.

*
**

Assise à sa table habituelle, face à la porte. Seule. Les bulles sont parties du verre depuis longtemps déjà, champagne tiédi. Chaque quart d'heure, le maître d'hôtel vient lui demander si tout va bien. Madame fait signe que oui, il ébauche pourtant un geste vers la coupe pour la changer, lui en donner une plus glacée. Mais aujourd'hui, d'un petit geste de la main, elle dit non, non... Visage translucide, une mince sueur perlée au-dessus des lèvres, yeux fermés. Le bruit, le flux des voitures devient houle, vent.

Elle a mal, elle se plie. Son bas-ventre s'ouvre.

D'abord il y avait eu cette morve chaude, gluante, douce, qui était descendue le long de ses cuisses ; elle avait serré les genoux, troublée, puis son dos avait commencé à la tarauder en ondes. Recroquevillée sur elle-même, parfois la douleur était telle, de la nuque au talon, qu'au contraire tout son corps se tendait, et qu'en un long hurlement elle disait sa terreur et son mal. Les bêtes couchées en quinconce dégageaient une odeur de suint et de suri ; les tisons enfouis dans la cendre fumaient... Ses frères, partis à la fête, avaient oublié de sortir le lait, et toutes ces odeurs mêlées la faisaient vomir. Elle s'était alors traînée en rampant vers la porte : l'ouvrir... Un air lourd entra enfin, chargé de l'odeur d'herbes pourries, brûlées et consumées, âcres, dans la pièce noire.

Et des contractions de tout son corps arrivent. Elle secoue la tête étonnée, terrorisée... Arc-boutée au pilier d'olivier de la cabane, les bras au-dessus d'elle, elle sent que quelque chose veut sortir d'elle, mais ne sait quoi. Tendue ainsi, elle souffre presque moins.

Et des vagues de douleur l'une sur l'autre, de plus en plus rapides...

Les bêtes terrorisées se sont toutes groupées au plus loin d'elle, elle voit pourtant leurs yeux, et l'éclat des cloches patinées à leur cou, éclairées un instant par les tisons, et le peu de lumière blanche qui entre par la porte.

Elle saigne, Ada. Horrifiée, essaie d'arrêter le flot chaud... Elle s'ouvre, enfonce ses mains en elle pour essayer de savoir comment arracher ce qu'elle sent là, rond, velu et qui bouge. De quelle diablerie souffre-t-elle ? Jambes écartées, elle n'est plus qu'un hurlement continu.

Alors, une chèvre grise, sa préférée — celle qu'elle avait réussi à sauver un jour que les

entraves de laine de ses pattes arrière s'étaient
coincées dans une touffe d'épineux, grosse...,
ventre en l'air, elle avait presque cessé de gémir,
acceptant la fin, quand Ada, tête en bas,
s'appuyant à des roches pourtant lisses et des
courtes racines, avait réussi à couper le lien, la
libérant enfin — alors la chèvre, sa préférée, est
là maintenant contre elle, et de son front tape,
tape doucement le ventre de la fillette tandis
qu'Ada tombe à terre, la tête enfouie dans la
laine de la bête, les bras autour de son cou, et sa
cloche tinte tant Ada tremble et pleure. Pourtant, enlacée à sa chèvre grise, elle est moins
terrorisée.

Puis tout son corps se tend encore une fois à
l'extrême, et une énorme masse sort d'elle
tandis qu'un cri retentit dans la maison de
pierre et qu'Ada rit. Un enfant est sorti d'elle !
A tâtons elle le cherche, tandis que la chèvre le
lèche et le tire. Ada sent bien qu'il y a encore un
lien entre elle et lui, mais si lasse... et déjà
endormie, laisse la chèvre la fouiller au plus
creux.

Sa mère surgit. Des années après, elle se
demandait encore si c'était elle qui était entrée,
ou un frère. Mais non, c'était bien son odeur à

elle, mélange, remugle de maison et de bêtes ;
ses frères, eux, sentaient les bêtes et le dehors.
Oui, elle jurerait des années après que, bien
qu'endormie, elle avait reconnu la sienne, si
forte.

Plus tard il y eut encore des bruits et, un
frère cette fois ?, quelqu'un de bruyant en tout
cas chassa les bêtes. Ada eut alors comme un
geste vers le nouveau-né... Mais ne le trouva
plus. Voulut se lever, le chercher, mais le
sommeil trop lourd était là.

Des jours elle resta sur la litière. Sa mère
venait lui apporter du lait, sans jamais lui
parler. Enfin elle lui annonça que l'enfant avait
été piétiné, étouffé par les bêtes avant son
arrivée... Ada avait hurlé, hurlé. Sa mère l'avait
frappée à la bouche et Ada s'était tue. Et
plus jamais, plus jamais n'avait parlé à sa
mère.

Le frère aîné ? son préféré il avait disparu ;
son frère cadet ?, elle s'en était toujours méfiée.
Et lui, l'aimé, où était-il ? Jamais il n'avait
passé un jour sans se montrer à elle, même
surveillée comme elle l'était, et depuis des jours
et des jours, personne. Elle s'était pourtant
toutes ces dernières nuits traînée dehors pour

nouer sur un pieu de la palissade un fil de laine rouge et un peu de basilic. Au matin, le basilic était toujours là, intact, et le fil rouge aussi. Signe, signe absolu, qu'il allait revenir. Et pourtant, il ne revenait pas.

Elle pouvait à présent se lever tout le jour. Sa mère lui avait crié alors que son frère aîné, sur son ordre à elle, avait tué, égorgé l'amant, et qu'elle, Ada, maintenant, devait partir. Elle avait ajouté aussi à voix basse que l'enfant était mort parce qu'il ne fallait pas qu'il vive... Et afin qu'Ada la maudite n'ait jamais plus d'enfant, qu'elle avait, elle la vieille mère, donné le placenta à manger aux cochons.

A la nuit, dans un foulard plié aux quatre coins, la mère lui avait remis quelques vêtements, un fromage lourd, du pain, des figues fraîches, et, tandis qu'elle allumait les mèches d'huile devant l'icône, Ada, forcée par son frère cadet à se courber en l'appuyant aux épaules, dut prendre de la suie dans l'âtre, en faire une croix sur le seuil de la maison de pierre, puis d'un seau d'eau jeté dessus la faire disparaître : qu'il ne reste plus trace ni de la croix ni de la cendre, et qu'ainsi cette maison et cette famille soient lavées d'elle pour toujours. Pendant ce temps le pope, qui s'était fait payer, beaucoup payer, se tenait dans la pièce au plus sombre d'elle. Et ça n'est que lorsqu'elle eut lavé trois fois le seuil qu'il ébaucha enfin un geste de bénédiction vers la mère, le frère cadet et la maison. Psalmodia un long temps « que le malheur demeure seulement sur elle », tout en pointant une lourde croix recouverte d'un voile noir, sur Ada.

Muette. Apparemment humble, tandis que son ventre déchiré, pas encore refermé, et son cœur mort hurlaient vengeance, Ada avait tout accompli et subi du rituel, puis elle était partie vers la mer où l'attendait une barque, la haine plantée comme un pieu en elle. Elle avait un peu plus de quinze ans.

Puisque la femme de qui elle était née avait osé ce qu'elle avait osé, alors que les dieux, eux, avaient accepté leur union à elle et à lui et bu leurs sangs mêlés au miel et au lait qu'ils leur avaient offerts le premier jour où ils s'étaient aimés et que lui, quand ils s'étaient relevés, avait même mis le feu à l'herbe où ils avaient dormi afin que personne n'y marchât — oui, les dieux l'avaient bu, très vite, ce lait, ce sang et ce miel mêlés par eux deux au creux d'un trou

—, c'était donc bien qu'ils étaient pour eux, avec eux, les dieux ?

Et pourtant, la femme de qui elle était née avait fait égorger son amant et disparaître leur enfant. Alors, elle pouvait donc, elle, faire ce qu'elle allait devoir faire maintenant.

Réussissant à peine à marcher, elle retourna pourtant sur ses pas, remonta vers la montagne à cru, sans prendre le chemin trop éclairé par la lune, jusqu'à un nœud de serpents qu'elle connaissait. D'un bâton tourné en son milieu, elle en tira une vingtaine, engourdis et emmêlés, qu'elle réussit à porter jusqu'au seuil de la maison de pierre.

Jamais, jamais elle n'aurait cru qu'elle pourrait, ne fût-ce que les approcher. C'était pourtant son jeu à lui, à l'aimé, adolescent inconscient, de les frôler ces nœuds de serpents, et subjugué, plus, envoûté, il la forçait, elle, à les regarder rouler sur eux-mêmes, boules affolées, grondantes et chuintantes, pour soudain comme s'aplatir et au sol commencer alors une obscène danse lourde qui faisait atrocement crisser la terre. Giclures de têtes ou de queues, traits vifs, ellipses si rapides que le son demeurait alors que la tête était déjà rentrée dans l'énorme pelote

grouillante. Un son si aigu, une stridence telle
que tout son corps lui faisait mal et que sa
douleur dans la tête lui était intolérable. Alors
elle plaquait ses mains à ses oreilles, bouche
ouverte, muette, l'horreur blanche. Enfin, il
l'écartait. Elle qui essayait, pour lui, de sur-
monter cette terreur, elle qui n'en avait pourtant aucune autre. Mais celle-là, elle n'arrivait
pas à la dominer.

Et ce soir, elle en transportait, enroulés sur
son bâton. Elle réussit même à ralentir sa
marche pour éviter les secousses, qu'ils ne se
désengourdissent pas et ne s'enfuient pas. L'un
d'eux pourtant s'étira, et d'un grand et lent
mouvement en demi-cercle, réenlaça plus haut
le bâton, se rapprochant ainsi de sa main. Elle
ne s'arrêta ni ne tressaillit, marcha même encore
plus lentement, ne soulevant qu'à peine ses
bottes du sol, ne recula pas la main. Simplement elle le fixa dans le noir, lui le serpent, le
fixa, qu'il ne monte pas plus haut.

Arrivée près de la maison ronde de pierres,
elle crut entendre du bruit. Impossible de
déposer là ce nœud grouillant. Alors, doucement, doucement, elle le fit glisser du bâton
tenu droit sur la dalle d'entrée d'une plus petite

maison de pierres, qui jouxtait celle où elle avait vécu. Une maison où sa mère rangeait les seaux de bois de la traite du matin. Ainsi ce serait donc, elle, la mère, la première humaine à franchir ce seuil... et les serpents, même partis, y auraient déposé la plus effroyable des malédictions : malédiction si forte que celui ou celle qui la reçoit se tue trop lourd d'une vie brûlante de malheurs. De sa botte, en tournant autour de la maison, elle traça un cercle, Ada, que le maléfice ne dépasse pas ces bornes-là. La terre était si sèche qu'elle dut s'y prendre à deux fois et repasser encore sur la marque avec un bâton.

Alors comme guérie, Ada courut à nouveau vers la montagne et, presque jusqu'à l'aube, resta couchée au sol, là où avec lui elle avait déposé le lait, le miel, le sang et brûlé l'herbe. Elle chercha un long temps du front et de la joue un certain endroit, puis le caressa mains à plat, comme s'il y avait encore une forme dessus. Mais il fallait qu'elle parte, le ciel était déjà rouge du soleil qui montait ; elle se défit pourtant encore de son corsage, que ses seins touchent cette place, *leur* place. Ecrasée de sanglots ; du lait sortit de ses seins pour se fondre dans la terre. Alors elle les pressa de ses

mains, qu'il en sorte tout son lait inutile. Mort.
Que la terre, elle, au moins, le boive.

Très lasse, elle commença de redescendre. Il
fallait qu'elle se presse maintenant, et surtout
que personne ne la voie. Bientôt tous les
habitants de la montagne allaient bouger. Elle
entendait déjà le troupeau du haut amorcer lui
aussi sa descente vers les abreuvoirs remplis, à
mi-hauteur. Il fallait qu'elle coure même, tant
l'aube arrivait vite.

Pourtant, elle s'arrêta encore au puits où elle
allait chaque jour chercher de l'eau depuis
qu'elle savait marcher, y descella un petit
morceau de marbre de la margelle — le petit
morceau qui bougeait toujours là où se posait le
ventre de celui qui s'y appuyait pour tirer le
seau plein —, et le glissa dans la poche de sa
jupe. Elle se pencha pour regarder cette eau
noire, lourde ; puis regarda aussi le ciel, et d'un
coup dressa le poing vers lui, et l'invectiva,
l'injuria, avec des mots qu'elle ne croyait pas
même savoir, encore une fois pourtant elle fit
descendre le seau, — il cogna là où il cognait
toujours, alors elle redonna un rien de mou, à la
corde. Il faisait assez clair pour qu'elle vît le
seau basculer. La corde tirée, elle se lava le

visage, lissa ses cheveux qui repoussaient et voletaient de partout, les enfouit sous le foulard noir qu'elle portait et le serra fort, très fort, but à même le seau, jeta le reste puis, de ses mains, écrasa ses yeux : que jamais plus une larme n'en sorte. Et cette fois elle descendit jusqu'à la crique où la barque qui devait l'emmener à la capitale de l'île était amarrée.

A peine l'embarcation s'était-elle éloignée — elle attendit pourtant de ne plus voir les deux maisons de pierre — qu'elle fit s'enfoncer en mer le foulard, lourd des provisions, ne voulant rien posséder de ceux de là-bas... Seul dans sa poche, le petit morceau de marbre blanc, et au creux de sa main droite serrée, serrée, un petit couteau d'obsidienne qu'elle portait toujours sur elle depuis que lui, l'aimé, le lui avait donné.

Elle était alors tout enfant. Il l'avait trouvé, ainsi qu'une étrange figurine de marbre blanc, au flanc d'une montagne ravinée par des pluies torrentielles et dont tout un pan était tombé à la mer, offrant une face toute nouvelle. Et lui qui savait chaque caillou de cet endroit, avait deviné tout de suite cette forme humaine et, sans même gratter, avait décollé de cette terre, fine comme du sable à peine colmaté, une

étrange poupée de marbre, et aussi ce petit
couteau taillé en six tranches aiguës, une lame
noire, mince, dure et si brillante.

Bien sûr cela s'était su, et depuis, des
hommes, des femmes, excités, grattaient, exca-
vaient, pelletaient, emmenant au loin tout ce
qu'ils trouvaient. Du moins ce qu'ils ne bri-
saient pas, tant leur hâte était laide et leurs
mains lourdes... Ils avaient raconté que ces
petits couteaux noirs, pareils à des baleines de
corsets, étaient en fait les premiers outils taillés
par l'homme. Les paysans avaient bien ri alors !

Ventre déchiré de nouveau, tête baissée, yeux
fermés, le couteau d'obsidienne entre ses doigts
serré, si serré qu'il lui coupait la paume de la
main, Ada ne bougea pas des deux jours que
dura le voyage.

*
* *

Autant parfois chez elle Madame avait un
geste ou une attention pleine de charme, simple
et comme venue d'ailleurs et si chaude — des
gestes que l'on ne sait pas ici —, autant

l'accompagner pour déjeuner ou dîner chez Maxim's était une torture. Et les plus délicats s'arrangeaient toujours pour aller saluer la dame-pipi au moment du départ, histoire de couper à l'ignoble, à l'avilissant rituel de la haie d'employés qui surgissait de terre et de sous-terre lorsqu'elle commençait à ramasser son sac de croco de chez Gucci, la laisse de croco de chez Gucci et l'imperméable de toutou de chez Gucci, et que d'un signe de menton, elle commandait à Gérard — à l'époque le maître des basses œuvres de l'endroit — la cérémonie des saluts. Le Gérard alors, d'un autre coup de menton, faisait signe au maître de rang... et l'ordre, de signes de menton répétés en signes de menton répétés, portait jusqu'à ce que la dernière petite casquette, à la casaque rouge immanquablement trop longue, préposée à l'ouverture des portes des voitures, ait fait savoir au chauffeur de Madame qu'il devait, à partir de maintenant, se tenir debout, près de la Bentley... alors Madame s'extrayait, lourde, volontairement lente, d'entre les tables nappées, serrées, trop serrées... « Les coller les uns contre les autres, ces cons, c'est ce qu'ils aiment ! » disait Gérard assez haut pour que

l'entendent les clients jugés pas assez « chics ».
« Ce qu'ils aiment, c'est se reconnaître les uns
les autres comme des cabots... »

Peu à peu se compose, parfaite, la grappe
humaine qui doit la saluer, sous les yeux
étonnés des autres clients, pourtant blasés, une
haie compacte faite de vivants apparemment
serviles. Alors Madame triomphe ; plus,
Madame jouit. Ils sont tous là, même Jeannette, la dame-vestiaire, qui descend — ce
qu'elle ne fait jamais pour les autres — de
l'autel d'où elle officie, un rien en retrait de
l'entrée. Une haie serrée d'où sortent des bras
droits à demi pliés, mains ouvertes cachées par
l'avant-bras de l'autre, mains ouvertes qui
attendent le billet-crachat, échines courbées,
regards filés qui disent autant « merci » que
« merde »... Et Gérard, hors du rang, l'œil
fou, qui guette la couleur et la taille du billet de
chacun.

Mais ces derniers temps, elle ne sait plus si
elle a donné. Alors elle recule et recommence,
ou est-ce pour faire durer le temps ? ; laisse
tomber ses liasses et, curieusement, oublie
toujours les mêmes. Ou bien sa cheville tourne
au moment d'arriver à la hauteur de ce somme-

lier qui a haussé les épaules — elle en est sûre —, et alors elle frotte son pied, son soulier — chèvre butée —, contre la moquette lourde, tassée et qui sent le piaulé depuis longtemps, et d'affirmer qu'elle n'est pas lisse, et qu'un jour quelqu'un tombera, et qu'alors si c'est elle, « ils verront ce qu'ils verront... » Giclée de colère qui la redresse et lui permet de « sauter » celui qu'elle ne veut pas remercier d'un billet. Sublime, Madame ajoute parfois : « D'ailleurs, il a l'air d'un étranger... »

Et puis le jour de ses Pâques à elle, ou d'une fête dans sa tête, dans un foulard noué par les quatre coins — baluchon de toujours —, Madame apporte des œufs qu'elle a coloriés et un gâteau de Pâques, qui, parce qu'elle est riche, est fait avec trop de beurre (« tout, trop » étant quelque part sa devise), à une liste interminable de gens.

Elle tape, aux portes, et lorsque la porte s'ouvre, elle chante une comptine, tandis qu'elle sourit d'un sourire immense, vrai. Magnifique et si chaud.

Elle sait aussi, le lendemain des vendredis maigres, sa zibeline balayant le sol, sortir de sa Bentley avec un faitout plein de boulettes de

viande au cumin enveloppées dans des feuilles
de choux et recouvertes d'une sauce aux œufs
qu'elle peut, elle, réussir sans farine, et passer,
belle, les plus beaux porches d'immeuble. Elle
va faire un vrai présent.

Parfois aussi, c'est vrai, quand la personne est
déjà très, très riche et que Madame se sent ou se
croit méprisée par elle, il y a, avec l'œuf colorié,
une bague de petit doigt de chez Van Cleef ou
des boucles d'oreilles mais « de la Boutique »
précise-t-elle comme pour s'excuser. Quant à
ceux qui sont pauvres, ils n'ont que l'œuf dur :
Madame n'offre des cadeaux riches qu'aux
riches.

Ainsi un peintre qui avait autrefois merveilleusement bien peint et qui avait choisi un exil
bruyant et brillant qu'il exploitait, commerçant
avisé, en trempant, symboliquement pour
l'heure, son pinceau dans le caviar avec les
nouveaux grands de ce monde, acceptant —
contre beaucoup d'argent — de poser pour les
revues à grand tirage, mais qui, dès qu'on le
téléfilmait en train de rire, ne manquait pas de
dire, voix cassée à merveille, que « ses nuits
étaient pourtant à jamais hantées, engluées par
l'ombre de ceux qui avaient plus de talent que

lui... mais qui..., hélas..., au loin... là-bas...
restés... ». Jamais, jamais tant sa voix alors se
brisait il n'avait pu aller plus loin. De toute
façon, dès son « qui, hélas... », les téléspecta-
teurs avaient les yeux si embués et le cœur si
houlé de sanglots, pleins d'amour eux aussi
pour les « hélas... là-bas restés... », qu'ils ne
pouvaient, pas plus, écouter que lui parler.

— Trop intolérable.

Il avait donc reçu, lui, un nombre important
de boucles d'oreilles, mais boucle après boucle ;
et comme elle « oubliait », il n'avait jamais la
paire assortie. Ce qui — et il finit par s'en
plaindre — faisait faire des va-et-vient lassants
à sa colombe de femme, place Vendôme —
« quelle belle place ! »

Madame le racontait en riant quand elle était
de bonne humeur, c'est comme si elle avait
voulu voir jusqu'où les deux autres pouvaient
aller et supporter... Mais elle avait affaire à bien
plus fort qu'elle, ils pouvaient en effet tout
supporter. Tout.

Alors, elle continuait à les couvrir de
cadeaux, eux, et aussi une danseuse étoile et la
femme d'un ancien Premier ministre, séparée
attention, pas divorcée !, et encore le directeur

d'un grand théâtre national de prestige. Cela la flattait tant que ces gens qu'elle croyait « hauts » l'embrassent et lui susurrent cet éternel et faussement extasié « oh, merci ma chérie, c'est trop ! » Victime de l'escalade de ses cadeaux, elle continuait, continuait, tout en se plaignant pourtant devant ses relations plus pauvres « que ces gens-là la ruinaient » — ce qui était vrai au demeurant. Mais elle avait si peur physiquement, oui, physiquement peur qu'ils ne soient « fâchés » avec elle si elle s'arrêtait, qu'elle voulait croire quand même à leur amitié, bien consciente pourtant de la fausseté de leurs rapports mais que tout s'arrête-rait si elle cessait ses envois. Et toute amitié finissait souillée par cette façon qu'elle avait depuis son mariage de vouloir croire que tout s'achetait, et qu'ainsi les « grands » de ce monde viendraient mieux lui manger dans la main. Beaucoup, il est vrai, étaient venus, mais tous s'en voulaient et pour s'en sortir, la méprisaient, elle.

C'est vrai que Madame avait le « r... » lourd, étranger, accent dont elle n'avait jamais pu se défaire, bien qu'au début de son mariage elle ait suivi de pénibles leçons de diction. Elle

se disait parfois Roumaine, descendante du roi
Carol. Chez elle, dans un médaillon d'argent
sur sa table de chevet, trônaient d'ailleurs la
reine mère, sa dame de compagnie et une jeune
femme. Elle laissait entendre que c'était sa
mère, et que pour cette raison on l'appelait
Madame. Du moins c'est ce qu'elle avait dit à
plusieurs femmes de chambre... A d'autres, elle
parlait d'un père sous-officier en Hongrie, et
d'elle alors venue en France pour y perfectionner
son français, bien décidée à retourner ensuite
chez elle pour y être institutrice. Elle racontait
aussi qu'elle avait vécu à cette époque dans une
chambre de bonne et gagné son bol de soupe
quotidien en « faisant briller » des parquets à la
brosse. Et c'est là un soir chez sa logeuse —
« elle était si gentille » — qu'elle avait rencontré son futur mari, beaucoup plus âgé qu'elle, et
que subjugué par sa pureté et sa pauvreté, il
l'avait demandée à l'instant en mariage. Sa
famille l'avait forcée à l'épouser alors qu'elle
était déjà promise à un jeune officier qui,
lorsqu'il apprit qu'elle s'était fiancée, s'était fait
tuer à coups de sabre par son ordonnance —
« cela avait été son dernier ordre »...

Dans Paris, il était une vieille comédienne

qui hurlait de rire à l'écoute de ces gentils
détails et qui, lorsqu'elle rencontrait Madame,
jouait à l'interpeller, à la tutoyer même, et à lui
flanquer, lorsqu'elle le pouvait, une énorme
tape sur les fesses. Et de dire à qui voulait
l'écouter alors — mais elle « radotait » depuis
si longtemps ! — que Madame était arrivée dans
les malles d'un officier, juste après la Première
Guerre mondiale. Mais à cet instant de l'histoire, là, la vieille comédienne n'annonçait
jamais la même nationalité : officier grec ?
turc ? albanais ? roumain ? hongrois ?... Sincère-
ment elle ne savait plus, mais affirmait que
Madame, — qui bien sûr ne s'appelait pas
« Madame » alors, mais « Anna », « ou plutôt
non, Ada, oui, Ada, Ada, c'est ça » — avait
longtemps fait les beaux soirs des théâtres de
boulevard, où elle déployait un certain charme,
— bien que toujours maladroite insistait
l'amie —, dans son unique et inévitable répli-
que : « ... La voiture de Monsieur est en
bas... », ou quelque chose de ce genre. Mais
oui, bien accorte dans ses atours de femme de
chambre. Et aussi que les hommes se pressaient
dans les coulisses pour lui dénouer, les premiers, le nœud de son tablier blanc, et que

c'était là d'ailleurs que son futur mari l'avait trouvée.

Lui, homosexuel entre autres habitudes, avec une mauvaise histoire aux trousses, juste après la victoire de 1918 et alors que l'héroïsme et la virilité étaient à l'honneur, avait été ravi de faire une fin... Il avait d'ailleurs conclu avec la jeune soubrette de théâtre un accord : il lui donnait la respectabilité en l'épousant, et le mariage demeurerait blanc. Certes, du fait de ses goûts, à lui, mais surtout de ceux de Madame — qui, mariée, ne tolérerait pas qu'on la touche. Elle l'avait exigé d'emblée, c'était la condition de son « oui ». Ainsi le procès, pour lui, avait été étouffé... Et aussi, épouser une pauvre, émigrée et ex-légère le ravissait, tant cela contrariait ses chères sœurs, si soucieuses du « qu'en-dira-t-on » et déjà à l'affût de sa fortune qui ne faisait pourtant alors que commencer. Et le refus de la jeune femme à mener une vraie vie conjugale lui plaisait ; plus, cela l'excitait intellectuellement, oui, beaucoup plus que de la posséder éventuellement, comme cela lui arrivait parfois tout de même avec des femmes. Oui, il aimait cette association, ce contrat. Elle ? Elle avait assuré qu'elle le respecterait, le

contrat, intégralement, et qu'elle ferait alors de
ce mariage « sa profession ».

Et la vieille comédienne ajoutait encore, en
baissant un rien la voix, qu'elle, Madame, l'ex-
soubrette, entre les engagements au théâtre,
devait, avant ce mariage, retourner en maison.
Elle le jurait, la comédienne, et afin d'être
mieux crue, disait, en se tapant les cuisses tant
elle riait : « Pourquoi mentirais-je ?... J'y allais
bien aussi, moi, en maison quand je ne jouais
pas... Mais moi, je suis devenue la plus grande
comédienne française » — laissant elle aussi
s'emballer ses « r » pourtant mieux contrôlés
que ceux de Madame — « alors qu'elle, elle
n'est devenue qu'une nouvelle riche, confite en
respectabilité. De toute façon, elle n'aimait pas
l'amour : moi oui, à en mourir. »

Que disait Madame ? Madame bien sûr disait
que cette comédienne, elle l'avait, c'est vrai,
connue lorsqu'elle était jeune mariée ; qu'elle
avait sonné chez elle un matin à six heures et
avait dit : « Madame j'ai faim... »

Depuis des années déjà, Madame commençait ses histoires de générosité — à vrai dire
toutes ses histoires étaient des histoires de
générosité ! — par un « Madame, j'ai faim »

agrémenté et d'une heure de la journée et d'un détail physique, religieux ou racial quant à l'affamée. Bref, la terre entière avait faim... et elle, Madame, donnait, donnait à huit heures, à dix heures, à midi, à seize heures, à minuit..., aux blancs, aux rouges, aux verts et même aux noirs. Oui, elle disait toujours : « Entrez mon petit... », et là arrivait un moment très pénible pour ceux qui la connaissaient bien. « Entrez, entrez mon petit, prenez... » Et elle récitait alors de plus en plus atrocement faux, disait comme sur un air de vieille comptine éculée. Ses yeux devenaient ternes, comme si même elle n'y croyait plus. Et pourtant, c'est vrai qu'elle avait donné, donné pour être acceptée, mais exigeant des notes de servilité telles que certains, parmi les moins riches d'ailleurs, refusaient ses cadeaux. Et ceux qui les empochaient — honteux peut-être, ou sursaut de dignité ? — ne s'occupaient pas d'elle et finissaient par la fuir.

Et donc « à cette salope » elle avait dit : « Entre et mange », et même qu'elle l'avait hébergée, lavée, habillée, emmenée en vacances. Mais l'autre n'avait eu de cesse de lui « prendre son mari qui pourtant l'avait... »

Suivait alors son éternel geste déchirant, obscène, atroce, celui du petit doigt recroquevillé,
et ce long ricanement terminé par un « il l'avait
à peine comme ça ! » Jamais, jamais Madame
n'avait parlé de l'homosexualité de son mari,
qui était pourtant notoire, ni de ce contrat
blanc dont Paris avait alors, en son temps aussi,
beaucoup parlé. Mais parfois dans ces moments
gras, oui, elle faisait ce geste du doigt...

*
* *

Le soleil tombe dru et tape contre les volets
fermés de l'avenue de la Grande-Armée.
Madame, saoule, dort à cru sur le marbre noir et
blanc de son petit office, là où on faisait les
toasts le matin du temps où sa maison vivait et
où la cuisine était si loin que les toasts arrivaient
dans sa chambre déjà racornis. Madame, saoule,
dort. Il va être midi.

En un flot ininterrompu, les voitures quittent Paris. Les plus paresseux vont dormir sous
un arbre au bois. Les autres attrapent les
périphériques et l'autoroute tandis que dans

l'autre sens, ceux qui vivent toute la semaine à la campagne montent passer l'après-midi à Paris. La porte Maillot est saturée. Ballets de voitures et de camions qui agencent leurs rendez-vous de l'après-midi et du soir.

Madame dort... Des rais de soleil viennent frapper les particules de poussière qui vibrent dans l'air. Deux rais la traversent, elle recroque-villée au sol, et maintenant tout l'air est empoussiéré... La mer est lourde, grasse. Trois ânes et un mulet liés par un même licol tressé de crin brun, noir et blanc, tournent depuis l'aube, pilonnant le blé noir sur l'aire de marbre gris, poli, martelé, frotté de milliers de sabots, de pailles et de graines depuis des millénaires sous le même soleil. Le jeune éphèbe aux cheveux serrés dans un filet noir tourne au même rythme que les bêtes ; il se tient derrière, la tête un peu penchée, il rêve. Dans la main, un fouet, et un étrange sceptre fini d'une poche en peau de veau mort-né. Comme saoul, les yeux immenses, il fixe hébété un des ânes gris ; yeux maquillés, ourlés de noir jusqu'à la fente de l'oreille, l'âne s'arrange pour laisser tomber systématiquement quelques étrons et le tour d'après marcher dessus tandis que le sac-sceptre, pelle à merde

antique, que porte l'enfant, chargé de ramasser
le crottin avant qu'une bête l'écrase et le mêle
aux grains, demeure inutile. L'enfant en effet
oublie toujours de s'en servir et se fait rappeler à
l'ordre par le vieux grand-père. Et tous de
tourner, tourner, encore et encore, et le foulard,
filet noir noué sur la nuque, de se détendre et de
glisser, et les nattes de courir sur les épaules, et
une de se lover, serpent chaud autour du cou de
l'éphèbe qui devient alors une fillette dorée...

Tournis. Chaleur.

Madame s'agite, geint, puis sourit ; elle a un
grand geste de la main, balaie le sol.

Maintenant, le vieux et la vieille sont assis
sous l'auvent de toile dressé entre l'aire et la
mer, pour que le vent n'emmène pas le grain au
large. Le soleil commence à moins brûler et le
premier vent de cinq heures plisse la mer. L'air,
si lourd, bouge enfin un rien et il se crée des
nappes d'air moins chaud.

Madame resserre sa robe de chambre sur ses
seins, frileuse soudain.

Le soir va arriver vite, abruptement, et quand
la mer et la montagne de la baie auront la même
couleur, violet sombre, alors ils s'arrêteront de
tourner.

La grand-mère n'a pas son pareil pour dénouer les bottes et les jeter d'un coup sec sous les sabots, récupérer le lien et s'en entourer le cou. Lourd collier en fin de journée, de joncs ou de laines tressées par elle. Il en est qu'elle reconnaît et retrouve à chaque moisson depuis toujours. Avant que la botte soit broyée, d'un geste, elle arrache en une fois les chardons secs, les mauvaises herbes venues avec la faucille et bottées trop vite... Elle retrouve ses doigts de fillette et sourit à son vieux, un code entre eux. Quarante, soixante ans qu'ils font la moisson ensemble, ces deux-là...

Ça y est, ciel, mer et forteresse antique ne font plus qu'un bloc. Le soleil rouge est encore là, mais d'un coup il basculera. Et jamais la fillette qui vient vivre chez ses grands-parents, en haut de la montagne, pour la moisson, et qui guette pourtant chaque soir, ne réussira à saisir l'instant de sa disparition.

Le vieux claque de la langue, et la fillette, ivre de soleil, la tête et le cœur pleins de tournis depuis le matin, s'arrête, vacille. Les bêtes, détachées mais toujours muselées, vacillent, aussi saoules qu'elle de tourner. Elles sont emmenées loin des grains. Il reste maintenant à

secouer à la fourche, tous les trois, la paille
brisée. Le vent de six heures est assez fort pour
la faire partir vers la mer, mais pas les grains,
transformant la baie d'en bas en une mare
vaseuse. Et là, sur le marbre, brillent, blé noir
et orge mêlés. Après plus d'un mois, voire deux
de travail continu, le vieux, en tassant bien,
remplira trois sacs : sa récolte de l'année. Leur
pain.

La vieille s'en va, revient avec un pot de terre
plein d'eau. L'homme et l'adolescente boivent,
pas la vieille. La vieille, elle, les mains croisées
sur son tablier comme pour mieux retenir son
ventre usé, regarde son vieux : elle aime ses
yeux au-dessus du pot de terre. Enfant, il
buvait déjà avec cet air émerveillé et cette façon
d'étirer tout son visage juste avant que l'eau lui
arrive dans la gorge. Ada les regarde.

Elle aussi aime ces fins de journée, mais elle
se secoue : doit aller aux chèvres, aux brebis ;
elles ne sont pas redescendues. Alors il faut
qu'avec un mulet chargé de bidons d'eau, elle
monte jusqu'à la chapelle. Un bruit, un chas-
seur ?, un marchand ?, une tête qu'elles ne
connaissaient pas les a gênées dans leur descente ? Et maintenant les chevreaux de la saison

attendent. C'est haut, le temps est lourd, mais elle aime tant être secouée par le rythme du mulet qui suit son chemin à lui, et puis, arrivée là-haut, courir vers la chapelle où l'ombre est si lourde, si calme. Se coucher, se déshabiller porte fermée, et, nue, laisser son corps se refroidir sur la dalle qui devient moite alors... Et aussi, brûler d'un coup toute la réserve de mèches dans l'huile rance. Et mettre des lauriers-roses devant la vieille icône au visage délavé par les lèvres des croyants impies qui conjurent leur non-foi à coups de baisers et de cierges brûlés. La cacher derrière les fleurs, elle est si laide cette pauvre vierge !

Attention, surveiller qui est là-haut, et pourquoi les brebis partent dans tous les sens et ne se calment pas aujourd'hui. Et le bélier pourtant qui attend qu'elle le prenne aux cornes et lutte pied contre sabot, et lui qui ne donne pas sa force tout de suite, que le jeu dure...

Madame, couchée à cru sur le dallage, s'agite maintenant ; on dirait qu'elle se bat, lentement, lentement avec quelqu'un. A moins qu'elle ne danse ? Elle est belle.

Chez Drouant, la grande salle et les salons sont fermés tous les samedis, les mois d'été ;

seul est ouvert le bar anglais et le grill. La petite
table d'angle a ses fleurs renouvelées à midi
moins le quart, pas aux autres tables ; c'est la
table réservée en permanence à Madame. Marcel, d'un signe, dit « non » à la muette
interrogation d'un garçon. « Non, on ne la
donne pas.. Il est midi vingt, elle peut encore
arriver. »

Plus de huit jours qu'on ne l'a pas vue et que
son chauffeur n'est pas venu chercher les plats
lourds préparés pour lui et ses gardes, et le riz
pour elle. La carapace de larbin de Marcel
craque. Enfin s'émeut : « Et s'il lui avait fait
un mauvais coup, à la vieille ? De tous ses
chauffeurs celui-là est le plus dangereux qu'elle
ait jamais eu. » Il y a plus grave — il l'a
demandé aux portiers — personne ne le connaît,
ce grand type trop élégant, trop propre, trop
obséquieux. Paris a son contingent de chauffeurs de maître et les chefs de rangs des
restaurants les connaissent tous ; quand un
nouveau arrive, les autres savent qui il est, chez
qui il a servi. Celui-là, non, personne, personne
ne le connaît.

Huit jours qu'elle n'est pas venue, et quelque
chose angoissait Marcel. Oh, bien sûr, les

pourboires ça compte et on s'y habitue vite, mais il était content, oui, content quand il la voyait. Depuis des années elle était sa première cliente du samedi midi : elle arrivait tôt et se détendait à regarder les tables s'emplir. D'un geste elle appelait Marcel quand un tel ne venait pas avec une telle, ou lorsque des nouveaux arrivaient et prenaient une table habituellement réservée à... Et Marcel, tandis qu'il pliait ou dépliait la petite serviette qui tenait au chaud ses toasts constamment renouvelés — car le plus souvent elle jouait avec et oubliait de les manger —, lui expliquait : « C'est la petite-fille de Mme Renault, Madame. C'est une Patino. » Elle se faisait répéter, épeler, répéter encore. Quand ce qu'il lui disait ne lui plaisait pas, elle prétendait ne pas entendre, ou parfois hurlait : « Mais non, pas du tout, vous n'y êtes pas, c'est cette salope de... Je la connais, elle chausse du 47. »

Il avait assisté à la dérape de Madame... Mais quand il avait commencé, petit groom, il l'aimait, elle et sa façon de parler plus fort que les autres et d'avoir des manteaux roses comme personne n'osait en porter alors, et qui lui allaient si bien. Riche, certes elle l'était, mais elle avait l'air heureuse de l'être, et il aimait son regard ; il la trouvait plus belle que les autres et comme plus vraie, plus authentique.

Une heure. Elle ne viendra plus. D'un geste il fait signe que l'on donne la table. Auparavant il retire le petit vase d'argent, son bleuet, sa marguerite, son coquelicot et l'épi de blé. C'est elle qui avait demandé ce bouquet un jour, il y a plus de quarante ans de cela, détestant ces œillets de mort ou ces roses jamais ouvertes que l'on vous flanque sous le nez dans les restaurants chics. Et depuis il y avait pour elle ce petit bouquet-là. Il était groom quand le maître de rang lui avait appris à le faire ; maintenant il y veille, Marcel, et le fait confectionner rien que pour elle, Madame. Les épis, il a de plus en plus de mal à en trouver. Alors il les retire et les garde lui-même dans une vieille boîte à gâteaux en fer, fermée, et parfois l'ouvre et aère les épis en attente, les écarte, qu'ils respirent, et l'été, quand il le peut, en ramène et, souriant, dit à sa famille : « C'est pour le bouquet de Madame. »

Le vent se lève. Il balaie poussières et papiers sur la place devant le restaurant, il va y avoir un orage. Avenue de la Grande-Armée, le vent est déjà là et le bruit s'enfle et gronde. Quand la rumeur de l'autoroute monte comme ça à l'assaut de la porte Maillot, c'est qu'il va y avoir une grosse pluie d'août.

Mais Madame n'entend toujours pas. Ses « quatre-vingts volets » fermés. Ecrasée de chaleur, elle est toujours couchée, nue sous sa robe de chambre qu'elle porte rouge depuis toujours, sur les carreaux de l'office. Carreaux sales, ternes — plus personne n'entretient ces quelque six cents, huit cents ou mille mètres carrés d'appartement où elle vit —, carreaux ternes mais frais... Tout à l'heure elle entendait la mer monter à l'assaut...

La mer, enfant, elle ne s'y baignait pas ; seuls les garçons en avaient le droit, vers les quatre heures, certains dimanches. Ces jours-là, sa mère retirait d'un coffre un linge de lin fin, et elle devait y broder des oiseaux, des fleurs, des anges, tracés au crayon bleu par une femme de pope. Les moines propriétaires de l'île en faisaient distribuer deux par an aux familles, que chaque fillette brode et qu'ainsi les milliers d'autels qui trônent dans les milliers de chapelles de l'île aient de nouveaux tapis. L'ambition de chaque mère était que le tapis brodé par sa fille fût choisi pour le maître-autel du grand

couvent et pour la grand-messe du 15 août.
Lorsque toute l'île, oui, toute l'île arrivait en
barques pour assister au grand service, ce
matin-là, les mères, visage caché dans un fichu
noir, marchaient tête baissée, humbles femmes,
mais d'un regard, d'un seul — scalpel redoutable —, contrôlaient si c'était le leur qui
trônait.. Que de gifles, de points faits et
refaits !

Mais elle, jamais, jamais son tapis n'avait été
choisi. D'autant qu'elle s'obstinait à ce que ses
bouquets brodés ressemblent à des bouquets des
champs. Et les popes aimaient les broderies bien
plus chargées… Quant au Saint-Esprit, délibérément elle le loupait, n'en ayant jamais, jamais
compris la signification.

La maison était sombre, les murs de pierre
épais, l'unique trou de lumière bouché l'été, et
le jour n'entrait alors que par la porte. Et
pourtant, quand sa mère ouvrait le coffre et
qu'à petits gestes, soudain humbles et comme
appris ailleurs, entrouvrait précautionneuse-
ment le drap qui le recouvrait, comme si elle
avait dénudé l'être aimé ou Dieu lui-même,
toutes les soies du coffre éclataient soudain dans
cette maison où il n'y avait rien et où le feu

n'était fait que de deux rochers écartés. Devant ces couleurs, Ada la petite pliait, émue, excitée, tendait les mains.

Le feu, chez elle on n'y brûlait que des bois rejetés par la mer et si longs à flamber qu'ils suintaient, fumaient des heures avant de se consumer, presque sans flamber, recouvrant de suie et de goudron les lits-coffres où des manteaux de laine brune tannés, comme cimentés par les vents et les embruns, servaient, l'hiver, de couvertures la nuit et de manteaux le jour. Seuls le pot de basilic à côté de l'icône enfumée et son petit lumignon faisaient couleur dans cette niche ronde de pierre taillée qu'était sa maison quand le coffre était fermé.

Dans la maison, l'air était si lourd que le soir, la famille saoule de vent et de fatigue s'y écroulait. La porte basse, seulement coincée par un tronc d'arbre. Tous rentrés, revenus dans un ventre ; et cette moiteur fade les enfonçait dans un sommeil coma...

Depuis un moment, Madame ne dormait plus. Mais elle reste là, couchée sur le marbre frais.

*
* *

Le mari de Madame, mort maintenant depuis
plus de trente ans, avait commencé, comme on
dit, à zéro vers les années 1890, à six ans, pieds
nus, pantalon de toile retroussé, pour tout
trésor un faitout d'aluminium troué mais
rebouché avec un sou cloué, un diable et le bois
des épaves de mer. Il allait sur les plages du côté
de Trouville, ramassait des couteaux, des
coques, des moules et des huîtres, les bouillait
pour les vendre aux estivants, servis dans des
coquilles Saint-Jacques vides. « Comme c'est
charmant », disaient alors les dames à l'ombre
de leur tente rayée tandis que pieds nus — il les
avait fort beaux, ce qui était bien agréable à
regarder — il venait les leur offrir et savait alors
empocher l'argent avec beaucoup de grâce, se
trompant dans la monnaie jusqu'à ce qu'on lui
fasse signe de la garder. En un an, il avait pu se
construire une cabane qui s'appelait, mais oui,
« Aux flots bleus ». Vingt ans après, il était
propriétaire d'une quinzaine d'hôtels sur la côte
Nord et à Paris. Entre 1942 et 1945, il en
acheta plus d'une trentaine.

Sa vie ? Celle de tous ceux qui se sont faits

seuls, oui, la même dans les grandes lignes officielles, assortie des mêmes pans d'ombre : fausses faillites, fausses chutes délibérément provoquées pour racheter à rien l'associé qui dérange, et avec pour lui, vu l'époque, la possibilité de s'approprier les biens juifs. Et très vite la gloire, et donc des photos dans les journaux spécialisés : Madame et lui à Deauville, à Cortina d'Ampezzo, à Venise. Lui, petit, gros, toujours coiffé d'un panama ; elle grande, beaucoup plus grande que lui, belle c'est vrai, un rien lourde. Tandis que souvent, dans les journaux à petit tirage — les grands journaux n'aiment que les grandes réussites et les versions officielles — une veuve, un fils, affirmaient : « Cet homme a fait mourir de faim mon grand-père, a poussé mon père au suicide... Cet homme a profité de la guerre et de la mort de ma famille dans les camps pour racheter illégalement... »

Vrai ? Faux ? Un peu vrai ? Un peu faux ? Il n'y eut jamais de procès, mais longtemps Madame envoya des chèques et des chèques à certains — « mes pauvres » disait-elle. Pour aider ou faire taire des spoliés ? Ses comptables ne savaient pas.

Quand il mourut dans un accident d'avion...
Ce qui fit d'ailleurs dire à un de ses amis, tandis
qu'à pas lents, tenant un des cordons de soie, il
le conduisait au cimetière — où sa veuve lui
avait dressé un mausolée qui se voyait de
partout : parfaite pyramide en pierre d'Egypte,
et si la pyramide avait été moins gigantesque,
on aurait juré que c'en était vraiment une —
l'ami donc avait murmuré à l'autre ami qui
tenait aussi un cordon : « Décidément, il est
mort comme il a vécu : en volant. »

En tout cas lorsqu'il mourut, il possédait
deux chaînes d'hôtels neufs de par le monde,
près de tous les aéroports, se faisant ainsi lui-
même sa propre concurrence, ce qui est bien
moins dangereux ! En clair, tous les palaces
traditionnels répertoriés en Europe étaient à lui,
et d'autres encore, au Japon, en Inde et en
Malaisie.

Lorsqu'il mourut, il était sur le point de
divorcer de Madame : il voulait épouser sa
manucure dont il avait eu — miracle de la
nature ? mensonge ? — un fils. Au dernier
Noël, il avait découvert cet adolescent pour
lequel, il y avait quinze ans de cela, voulant
croire soudain qu'il en était en effet peut-être le

père, il avait donné ordre à son notaire de verser une petite pension : « Petite mais décente, je compte sur vous, mon cher. — Indexée ? — Oui, indexée, enfin, avec toujours un certain retard. » Et puis le même au regard dur, ce soir de Noël-là. Il venait depuis quinze ans les voir, juste avant le grand réveillon que donnait Madame ; longtemps, quand il arrivait, la manucure se retirait quelques minutes avec lui et lui faisait alors une petite « chatterie » — pour tout dire elle le langeait et le talquait — oui, le môme ce soir-là l'avait toisé et avait craché dans la part de gâteau que sa brave femme de mère tendait au vieil amant occasionnel, « qu'il continue de verser la pension, mon Dieu », pensait-elle, tout sourire abîmé dehors. Et ce geste avait non pas ému cet homme, mais l'avait, oui, intéressé. « Solide, le petit », et sa quéquette engourdie de s'agiter : « Hé ! bé ! c'est mon fils après tout. Le temps de la relève... » Enfin quelque chose comme ça lui traversa l'esprit.

Bref, l'amour paternel, ou ce que l'on appelle ainsi, lui tomba dessus ce soir de Noël-là, entre cinq heures et cinq heures et quart. Reconnaître ce fils ? Impossible : il n'y avait alors pas de lois qui le permettaient. L'adopter ? Trop long ; et puis merde, il était le chef ! Alors divorcer de l'autre, de la légitime, épouser la mère, l'envoyer au loin, garder le fils, et divorcer après ? L'autre Madame Dieu sait qu'il avait, en l'épousant, aimé choquer sa famille, mais très vite, elle l'avait flatté, l'avait servi, elle et son sens du décorum lourdement doré, et sa façon d'amener les plus grands noms dans ses salons. Mais lui, il se plaisait décidément mieux, et de plus en plus, au bar de ses hôtels, et même dans des petites boîtes discrètes et douteuses. Alors, elle avait vécu seule. « Mon mari est retenu à l'étranger... » Mais lorsqu'il avait besoin « des grandes orgues » comme il disait, elle était là, sûre, efficace et toujours comme abstraite.

Alors, signer un contrat avec Madame ? Divorcer de la manucure et la réépouser, elle, ensuite ? Assez difficile à vrai dire. Et Madame s'en disait choquée et s'étonnait de cette éventuelle rupture de contrat. C'était l'impasse.

Puis lors d'un voyage en avion, un orage ? une montagne ? un vol de cigognes peut-être, dans le moteur gauche ? — on ne le sut jamais très bien — ce fut l'accident. Il n'avait pas eu le

temps de prendre de nouvelles dispositions —
en tout cas on ne trouva jamais les papiers qu'il
disait pourtant avoir faits. Et, Madame, les
sœurs de son mari mortes depuis longtemps,
s'était retrouvée propriétaire de cet empire
éclaté de par le monde, et le bâtard, bâtardé,
oublié ! Du jour au lendemain bien sûr, elle qui
avait haï, plus, méprisé ce mari, mais qui dans
le même temps payait pour faire dire au loin des
messes noires, qu'il revienne sous son influence
— elle avait même envoyé une de ses chemises
au pays, que l'effet soit plus fort —, ne parla
plus qu'au nom de son « cher mari... qui avait
été tout pour elle et surtout, surtout, elle tout
pour lui ». Joies incommensurables, enfin,
voluptueuses de l'amour posthume. « Mon cher
mari me disait : " Vous qui... " » Elle avait en
effet décidé du vouvoiement au reçu du télé-
gramme annonçant sa mort.

Au cours des réceptions que Madame donnait
encore parfois chez elle, avec cette sur-outrance,

cet étalage de ceux qui n'aiment plus manger
depuis longtemps, et où s'accumulaient foie
gras coupé en tranches trop épaisses par un
traiteur soucieux d'en écouler un maximum,
œufs de caille, pots de caviar, gibiers, viandes
et poissons, ce qu'elle aimait le plus, Madame,
c'étaient les présentoirs, les jattes de cristal
enchâssées dans de l'argent massif avec de la
glace entre les deux réceptacles. Les siens
avaient une forme de ciboire qui lui rappelait
elle ne savait plus quoi, « l'impératrice Farah
les voulait, mais Sotheby m'a préférée, c'est un
ami ». Ses tables nappées de voiles brodés d'épis
d'or avaient longtemps eu la somptuosité de
certains autels byzantins.

Elle, depuis toujours, en public, ne mangeait
presque rien ; allant de l'un à l'autre, drapée
dans des voiles de soie de couleur de Sienne,
uniquement taillés, sans aucun ajout pour
mieux faire éclater son tour de cou fait de
diamants, d'or jaune et blanc, semblable aux
pendants d'oreilles. Et tous ces éclats allaient
en faisceaux bleus croiser ceux que jetaient
ses deux bracelets tissés dans le même or et
sertis des mêmes diamants. La ceinture était
du même joaillier, du même or, mais tressée

plus gros et sans brillant, sauf à la boucle

A vrai dire Madame avait horreur de toutes ces nourritures-là, n'avait jamais pu se faire à leur mollesse dans la bouche, à ce fondant qu'elle trouvait gluant. Et quand Madame avait assez confiance en sa femme de chambre et son maître d'hôtel, elle avait toujours peur des petites médisances, des petits ragots qui constamment courent les rues, les villages et les villes, s'engouffrent sous les portes, ressortent par les cheminées, ragots faits de petits riens si simples qu'ils tuent souvent ; les grands scandales, elle les assumait impérialement — ... quand elle était sûre, donc, de leur silence, d'autant qu'elle l'achetait —, et elle voulait naïvement, elle était aussi très naïve, croire que c'était suffisant, et eux, tant achetés qu'ils la méprisaient jusqu'à la quitter horrifiés d'être devenus ce qu'ils étaient devenus, lui en voulaient bien sûr à elle... Bref, elle, quand elle le pouvait, le matin buvait un café fait de poudre très fine, bouillie et rebouillie, et ne manquait pas de retourner la tasse pour chercher dans les méandres du fond son avenir. Elle se souriait à elle seule ! Puis, les jours de fête à elle, dévorait des anchois dessalés et marinés dans de l'huile crue et du vinaigre de vin. C'est elle qui les préparait, elle avait même un croûton de pain, toujours le même, qui lui servait à remuer pour mieux contrôler son mélange.

Madame, elle disait parfois, brillante, en riant : « Je dois avoir des ascendances paysannes que je ne sais pas ; je suis incapable de faire une promenade sans but, incapable de creuser un canal qui ne mène à rien... » Elle le chantonnait presque à l'ami célèbre qu'elle avait invité sur son yacht et qui, durant trois jours de tempête, à terre, avait joué à détourner un petit cours d'eau pour rien, et à monter et descendre la montagne en courant. « C'est vrai, je ne peux, je ne sais faire que des gestes utiles », et elle regardait ses mains manucurées mais à jamais larges et courtes. Une vieille femme de chambre qu'elle avait mise à la retraite — « elle radote trop et ne dit que des menteries » — prétendait qu'elle l'avait vue durant la dernière guerre arrêter, en le prenant au mors, un cheval emballé. Les gens riaient tant l'histoire leur semblait aussi classique que fausse, mais Emma se fâchait : « Je vous dis qu'elle est forte comme une homme, Madame. »

Madame n'avait jamais su se défaire — à vrai

dire, elle n'avait jamais essayé — de ce penchant au-delà de l'immodéré qu'elle avait de et pour la flatterie. Elle aimait flatter et donc être flattée. Flouée par celui ou celle qui l'encensait, même et surtout si c'était énorme. Mais attention, seulement le temps que cela l'amuse et qu'elle le veuille bien. Des mois elle pouvait non pas être sous l'influence de quelqu'un, elle n'était sous l'influence de personne — mais pouvait être subjuguée, non, à vrai dire, seul le mot « flattée » convient, flattée d'approcher et de devenir l'amie de n'importe quel imbécile pourvu que l'imbécile en question, le parvenu, le n'importe quel demi-fesse possède, même momentanément, accroché à ses chevilles les quelques menus grelots d'un pouvoir. Elle le trouvait alors beau, plus, magnifique. Se servait même du mot « sublime », mot qui, pour dire vrai, la faisait sourire, mieux, rigoler.

Elle avait un faible, un faible immense pour le pouvoir politique. Celui de l'argent, dont rêvent souvent ceux qui détiennent le politique, elle l'avait et en savait tout. Mais l'autre... Aussi dès qu'elle connaissait un tenant, voire un pré-tenant de ce pouvoir-là, jusqu'à même un cinquième attaché de cabinet — il faut recon-

naître que son luxe ostentatoire était tel qu'elle
n'avait pas grand-peine à drainer mieux et plus
haut qu'un cinquième attaché de cabinet, mais
elle aimait presque mieux les cinquièmes atta-
chés, mettons les troisièmes, car ils tombaient
plus facilement dans ses rets et savaient rendre
plus vite la flatterie —, il devenait « beau »,
« magnifique », « sublime », et elle n'avait de
cesse alors de l'annexer à son groupe, de l'avoir
chez elle à sa table et, plus jeune, sur son yacht
ou dans ses maisons d'été, étalant alors pour lui
la gamme des richesses les plus immédiates. Et
l'élu, c'est-à-dire celui qui répondait à ses
invitations, devenait très vite pour elle plus
fort, plus influent que le ministre. « De toute
façon, murmurait-elle, vous, vous ne le savez
pas, mais le vrai chef, c'est lui. Je le sais, moi,
et de source secrète... » Puisqu'il était reçu à sa
table, table qui depuis quelques longues années
déjà était le plus souvent publique ; en effet,
recevoir chez elle ne l'intéressait pratiquement
plus car guetter l'effet qu'elle pensait produire
sur les valets et les autres clients lui donnait une
joie bien plus forte encore que le plaisir qu'elle
tirait à connaître ces nantis-là du pouvoir.

Donc, à l'instant, le nanti traité devenait

d'évidence le plus grand, Madame ne pouvant frayer qu'avec les plus importants. Mais sans doute au plus secret d'elle, était-elle ravie qu'il ne le fût pas, car les vrais grands, même sans pouvoir, lui faisaient peur, l'impressionnaient trop. Et elle haïssait tant l'humanité, ou la craignait tant, qu'elle ne voulait voir, ne connaître que ceux qui se laissaient acheter — et c'était devenu si facile pour elle, les autres, même s'ils étaient pauvres, et cela arrivait — lorsqu'elle percevait qu'ils ne plieraient pas, elle s'en écartait, et s'ils étaient à son service, préférait alors les chasser. Mais pour ceux qui pliaient, ses cadeaux alors devenaient somptueux et ses bouquets des arbres. Eperdue d'orgueil d'en être, voulant tant être acceptée par « leur » monde où aucun pourtant jamais, jamais ne la fit pénétrer pour autant.

Et elle, la plus que lucide, la plus que maligne en affaires, n'avait pas la force, du moins au début, de les tenir pour ce qu'ils étaient le plus souvent : des riens. Pas bien différente en cela de beaucoup, il est vrai. A moins qu'elle ne l'ait su depuis le début ? Car souvent en les regardant, elle avait une curieuse façon de faire claquer ses deux ongles de pouce l'un contre l'autre, comme si elle écrasait un pou.

Puis, c'était imprévisible, un seuil connu d'elle seule était dépassé par le redevenu petit troisième attaché ou sa femme ou son fils. Fils à qui elle avait juré qu'elle en ferait son directeur principal et à qui elle offrait une voiture, même s'il n'en était qu'à l'âge de la mobylette. « Femme » qu'elle kidnappait au nom de l'amitié, de sa solitude et de son veuvage, femme qu'elle parquait des jours et des jours dans un de ses hôtels à New York sans qu'elle puisse en sortir — « la rue n'est pas sûre ; et puis d'ailleurs, vous êtes venue pour me tenir compagnie, et moi, je veux me reposer ». A vrai dire, Madame était si timide, si peu sûre d'elle que, sortie de la tyrannie qu'elle exerçait sur son monde à elle, elle avait horriblement peur de tout. Alors elle cloîtrait la « choisie », ou plutôt l'épouse du choisi, au soixantième étage d'un de ses hôtels en Amérique ou dans un de ses vieux palaces à Lausanne : « Ne sortez pas dans les couloirs, c'est plein de cheiks arabes », elle précisait toujours « arabes », elle ne s'était jamais faite à cette clientèle-là, bien que ce fût, bien sûr, celle-là qui lui avait permis d'acheter

ses autres palaces et depuis longtemps déjà...
« Et puis une femme amie de la patronne ne
descend pas dans les salles à manger. » Oui, elle
disait « patronne ». En effet, dans ses hôtels,
elle ne prenait ses repas que dans ses appartements. Ça n'était que dans les lieux qui ne lui
appartenaient pas qu'elle aimait être vue. Là,
chez elle, elle exigeait dans son amitié tyrannique que la femme du « ministre » restât
cloîtrée avec elle, et comme Madame s'ennuyait
et qu'elle voulait aussi surveiller le service, elle
se faisait monter parfois jusqu'à cinq repas par
jour ! Certaines de ses invitées essayaient bien de
s'enfuir au bout de la laisse du chien, mais
Madame préférait que Toutou soit sorti par le
chauffeur : « Il sait mieux lui faire faire. »
Restait le coiffeur... « Mais dans mes hôtels, il
monte, mon petit, vous n'avez donc jamais
voyagé ? » Elle aimait aussi très vite, quand elle
était sûre de l'emprisonnement de sa proie, elle
aimait aussi beaucoup humilier l'épouse et ses
enfants. Elle n'avait comme une retenue, en
tout cas au début, qu'avec les hommes, et ça
n'est que bien longtemps après que sa tyrannie
s'exerçait aussi sur eux. Avant elle les flattait,
s'humiliait même devant eux, timide, naïve.

Redoutable qu'avec les femmes. Elle les
retenait comme « dans une maison sans porte ni
fenêtre », avait sangloté une qui s'était enfuie
d'un hôtel à New York, abandonnant ses
propres valises et sans un sou, « Madame »
avait les billets d'avion. Elle s'était, en chemise
de nuit, engouffrée dans un taxi et s'était fait
conduire à l'ambassade. « J'ai perdu les péda-
les, reconnaissait-elle après, mais elle m'étouffait et, rigolez si vous voulez, je me sentais
comme ensorcelée et je m'enlisais, m'enlisais. »
Mais si les « choisis » patientaient et tenaient,
elle, Madame, finissait immanquablement par
les rejeter. Et le plus souvent, ils ne pouvaient
pas savoir le pourquoi, le déclic de la scène
terminale. Mais toujours éclatait une colère
énorme où, au milieu d'un flot de mots
orduriers, elle sortait la liste des cadeaux reçus,
des notes payées par elle, des capes de renard
prêtées, et non données, dont elle exigeait la
restitution immédiate, allant même, s'il le
fallait, jusqu'à affirmer que ce « minable trou
du cul » ou cette « salope de putain d'épouse »
— le plus souvent c'était l'épouse — avait volé
un objet précieux dans un de ses salons, dans
une de ses vitrines... Une fois, elle en avait

brisé un elle-même et avait jeté, oui, jeté un des petits bronzes du Louristan — auxquels elle tenait beaucoup — pour pouvoir affirmer qu'une relation dont elle ne voulait plus l'avait volée. La femme de chambre était formelle lorsqu'elle le racontait après, et ajoutait à mi-voix, bouche pincée : « C'est assez fréquent dans les grandes maisons. »

Pour porter ses accusations d'ailleurs, elle se servait toujours beaucoup des confidences de son chauffeur, de sa cuisinière ou de sa femme de chambre, le plus souvent totalement inven-tées — à vrai dire, toujours —, ses servants se contentant d'un « Oui Madame » jusqu'à ce qu'ils la quittent. « Le pauvre, il y a longtemps qu'il voyait votre manège mais il ne voulait pas me peiner... » et « Ça n'est pas qu'à regret qu'elle a fini par me montrer que... » Colères colossales qui finissaient toujours par un flot d'accusations sexuelles, et, plus le rang social était élevé, plus le « vice » l'était aussi : une vraie femme de ministre « faisait ça » avec son chien... La moindre de ses accusations étant que « les femmes avaient eu des gestes indécents avec son chauffeur et que lui, gêné, avait fini par être obligé de le dire à Madame ». Quand il

s'agissait d'un homme, c'était « debout dans
l'office qu'il l'avait fait ». Toutes ces scènes de
rupture — certes, il pouvait y avoir quelques
variantes — se terminaient enfin par un pathétique, dérisoire et enfantin : « D'ailleurs, vous
vous êtes moqué de moi et avez fait des signes
dans mon dos : je les ais vus. Vous avez ri de
moi... » Le drame et la scène étaient aussi
violents, outrés que l'amitié avait été exagérée
et possessive.

Oui, la plupart de ses relations étaient
des femmes, bien qu'elle les haït en tant que
femme, elles ne l'intéressaient qu'en fonction
de leur mari. Mais timide ? engluée dans ses
tabous secrets ? elle se pétrifiait devant les
hommes quand ils n'étaient pas de ses servants
payés, et sa voix se faisait alors mielleuse,
craintive. Et comme elle s'en rendait parfaitement compte, elle n'avait que peu de rapports,
et peu de conversations même banales avec eux.
A vrai dire, Madame n'avait pas de conversation. Mais sûre de sa fortune, de son veuvage et
de son âge, elle pouvait mater-dominer les
femmes. A part elle, et « cette salope de... »
— suivait le nom d'une seule et unique femme,
chef d'Etat —, aucune femme n'existait pour

elle, lourde d'un mépris ancestral et paysan. On lui connaissait pourtant deux ou trois exceptions. D'abord une danseuse étoile de l'Opéra et elle s'était comportée avec elle, sans le savoir, comme le traditionnel vieux avec sa danseuse, et l'histoire avait fini aussi sordidement.

Elle eut aussi, quelques semaines en tout cas, peut-on dire une admiration ? non, mais peut-être bien une jalousie admirative pour une femme assez célèbre, alors directrice d'une chaîne de télévision. Pourtant rien en elle n'aurait dû lui plaire avec ces deux handicaps-là : femme et célèbre, car seule, seule Madame, une fois pour toutes, avait réussi et les autres n'étaient, ne pouvaient être que des secrétaires et/ou des putes. Pourtant, ou plutôt avait-elle perçu ? — car les balourdises de Madame cachaient une intuition démoniaque — avait-elle perçu que celle-ci était véritablement commune ? Et cela la confortait puisque, elle, ne s'était pas fait rouler un instant ! Est-ce que cela l'amusait de la voir, l'autre, trait-d'unionner son nom à tout ce qui avait dans l'instant quelque pouvoir ? Est-ce que cela l'amusait de la voir magouiller, se glisser, se faufiler, s'humilier devant lesdits Grands avec d'autres métho-

des mais comme Madame ? Et être bien sûr,
aussi impitoyable avec ceux qu'elle croyait
n'être rien, quitte à s'écrier : « Oh ! excusez-
moi... je n'avais compris ni votre nom, ni votre
poste... » les gaffes de cette femme la ven-
geaient peut-être des siennes, qu'elle savait
aussi parfaitement, il lui arrivait même d'éclater de rire devant les énormités que commettait
l'autre. Oui, elle était ravie de savoir une
femme aussi vile, comme confirmée au plus
secret d'elle.

A la fin ce qui la perdit ça ne fut pas tant son
carriérisme, ni son arrivisme, ni encore son goût
à humilier celui qu'elle croyait n'être rien, ni
son asservissement total à tout pouvoir, ni sa
mythomanie, ni son hystérie mécanique devant
la plus infime demande d'explication — encore
une fois elle avait tout ceci en commun avec
elle —, ni même son côté sale et ces constants
bords d'ongles, aux commissures marquées de
blanc, et sentant le tabac et la bouffe et le
sperme — elle copulait en effet systématiquement, cela faisait partie pour elle de ce qu'il
fallait faire —, ni cette constante bretelle grise
de soutien-gorge élimée lui sciant l'épaule mal
frottée aux points noirs apparents, ni les talons

éculés de ses escarpins ouverts, laissant voir des cornes qui n'avaient jamais su que l'on pouvait les poncer... Non, ce n'était pas tant cette vulgarité d'un corps mal étrillé abritant une telle hystérie du pouvoir que son côté « mal élevé ! » « Elle est mââl élevée », disait Madame en appuyant sur le *a* dès le début et c'était dans sa bouche horrible...

C'est vrai qu'elle était mal élevée, bouffant — broutille, d'accord — toujours la première, commandant son foie gras et son caviar avant même que Madame, qui avait certes l'intention de le faire, ait eu le temps d'esquisser un mouvement. Elle était une bouffeuse vraie, comme si elle avait toute une vie de manque à rattraper, avalant des tranches doubles de foie gras, même si elle était invitée par un petit journaleux pigiste ou assistant, car elle acceptait toujours les invitations des jeunes hommes : « Je recrute mon matériel potentiel » —, qui voyait en trois bouchées ses quarante ou cinquante piges éventuelles s'envoler, alors que, lui, là, attendait le dessert pour suggérer à cette femme que, si elle le voulait bien, il pourrait peut-être participer à...

Madame l'avait beaucoup invitée pourtant

durant quelques mois, aussi horrifiée que subjuguée, puis soudain, un jour, — et les
habitués de Madame dirent qu'ils n'avaient
jamais vu une relation se finir ainsi dans le
groupe —, Madame, contrairement à ses scènes
habituelles, laissa un soir, très fort, tomber un
« Ma petite, t'es vraiment trop maâl élevée et
trop saâle, va-t'en. » Et ce fut tout ! Les autres,
soudain très occupés par leur serviette, leur
chien ou leur voisin, la laissèrent partir, ils ne
l'avaient de fait jamais acceptée. De toute façon
ils ne disaient rien en face de Madame, de ses
évictions, quoique ravis d'en parler et d'en rire
quand celui qui guettait le départ de Madame
revenait, en assurant que la Bentley et elle, tout
petit paquet sous sa couverture en vigogne
blanche, couchée dans le fond, étaient effective-
ment bien loin... Mais avec ce baquet de luxe et
son moteur silencieux, il fallait se méfier, car il
était arrivé que Madame fasse de fausses sorties
et que soudain, ils l'entendent, sarcastique,
terrorisante, derrière eux, curieusement calme :
« Vous riez de moi, je vous entends. Merci, je
m'en souviendrai. » Et ils baissaient tous la tête
alors avec des visages de vieux enfants lâches,
ignobles.

***

Ce matin, la Bentley de Madame est à la révision, et elle a prêté, elle ne sait plus à qui, ses deux autres voitures, plus petites. Madame exige que Georges pendant ce temps reste au garage assis dans la Bentley : « Ils vont nous changer des pièces, nous voler les anglaises et nous en mettre d'ici qui ne valent rien à leur place... Restez, je le veux, et ne quittez pas un instant votre siège. »

Alors on a appelé un taxi, que Madame aille inspecter ses hôtels. Ça a été difficile, il y a grève générale d'électricité et les feux de circulation ne marchent pas. « Raison de plus pour voir comment ils se débrouillent dans mes palaces ! »

C'est une femme qui conduit... Madame hésite à monter, mais son désir d'aller contrôler est trop fort... « Grève EDF, vous en faites pas, va... A midi, y vont rallumer ; veulent bouffer chaud ! Et puis ça va être le pont du 1er mai, de jeudi à lundi, qu'est-ce que je dis, à mardi

prochain... Tu veux une banane au cul, toi ?
Enculé, va, tous des pédés, Madame, croyez-
moi, c'est pas du beurre d'être une femme et
d'être taxi. Ducon... C'est comme mon gendre,
y se sont mariés hier. Ma fille, elle est coiffeuse,
et lui, au coffre de la Banque de France — je me
demande dans les combien ça va chercher, pas
loin sûrement... Eh bien quoi, je freine, et
alors ! c'est mieux que de tuer mon gendre. Tu
veux ma banane ? Eh bien, je vous disais donc,
une semaine pour se marier qu'il a eue, —
remarquez, il ne m'a rien dit, je l'ai su tout à
fait par hasard. J'avais loué soixante verres pour
le buffet, ordinaires, sa famille ne me plaît
pas..., je m'en étais mis pour cinq cents balles
chez Bernard, et puis finalement ils avaient fait
un autre verre dans la belle-famille, et ma
fille — tu la veux décidément, hein, ma banane
au cul ? Tu me colles depuis dix minutes, tu vas
voir..., elle a molli. Mais c'est que j'ai dit, c'est
pas tout ça, mais il me manque quatre bouteilles de champagne, et mes verres loués, plus que
dix. Dites donc, vous visez un peu ! Remarquez
c'est ma belle-sœur qu'a pas joué le plus beau
rôle — pas blanche comme neige, la sœur à
mon mari... Cul de nègre, va !... La nuit faut

qu'y se mettent des pompons phosphorescents
sans ça... hein ! »

La belle-sœur ? Le chauffeur de la voiture que
l'on va s'empaffer ? Elle arrive à faire cahoter
son bahut alors qu'on roule au pas depuis plus
de vingt minutes ? Descendre ? C'est une dingue ! mais l'envie de voir si elle va retomber sur
ses pattes à la fin de son envolée... Subjuguée,
Madame reste. Et puis marcher seule dans la
rue, elle ne l'a jamais fait. « Dommage que
Freud m'ennuie et qu'on me le cite dès que je
lapsusse, se dit Madame, mais son histoire de
banane est nette, non ? » Freud, Freud... Mais
si, bien sûr, à Londres, elle en était sûre, elle
l'avait rencontré, il était venu, oui, c'est ça, à
une fête qu'elle avait donnée au Brown's Hotel
le plus bel hôtel de Londres lorsqu'elle l'avait
acheté. C'est elle qui avait dessiné la livrée des
portiers. Il était beau, Freud, mais — elle s'en
souvenait parfaitement — il ne regardait jamais
les autres dans les yeux et il n'avait pas décollé
du buffet. Elle l'avait remarqué alors, parce
qu'il avait une assiette dans chaque main.

« C'est comme les dragées, quarante petits
paquets. Mais alors, là, j'ai été ferme : si c'est
pas des blanches, je ne viens pas. Z'ont pas osé.

Pourquoi pas des vertes, non ! Dans les 4 500
par mois, vous croyez qu'y s' fait, le gendre ? Ça
va pas pisser loin, parce que moi, j'aime mieux
vous dire que coiffeuse, ma fille, elle se fait aut'
chose ; mais faut fermer sa gueule maintenant.
Eh ben, je vous disais justement que les
quarante paquets de dragées, eh ben y sont
partis dans la malle en Auvergne. D'ici qu'on
les revoie, ça sera pour le baptême... Toi...
(glace baissée) tu vas l'avoir, ma banane. Tu me
cherches ? » Et de sortir son poing. « Alors
c'est ça, sa banane ? »... « Donc, je téléphone
— car ils ont le téléphone à leur appartement
— c'est chiqué et compagnie dans sa famille.
" Tu te montes, tu te montes ", qu'y dit mon
mari ; remarquez, contremaître chez Renault, il
a toute sa semaine lui. Donc j'appelle. Merde
dites donc, je tombe sur lui : " Ah, que j' dis,
j'appelais à tout hasard... J' vous croyais pas
là. " Pas folle, j' dis rien de désobligeant.
Remarquez, ma fille, elle, elle y était, au
boulot, et j'y dis quand même : " Y me
manque mes quatre bouteilles de champagne et
mes verres loués... — Mais non, belle-maman,
ils ont été mis dans ma malle. " Ouf ! C'est
toujours ça... " Mais, qu' j'y dis, et vos dra-

gées ? — Oh, tant pis, elles sont parties par inadvertance... " Inadvertance ! Je t'en foutrai, moi... Tiens, mais regardez-le celui-là... sous prétexte que... Il va l'avoir, je vais finir par faire un malheur... 4 000 et des crottes par mois, le téléphone à la maison, et ça laisse partir quarante cornets de dragées ! Remarquez, si ça avait pas été dans sa famille, je suis bien sûre... Bref, que j'y dis : " tiens, vous êtes là ", c'était pas un reproche, j'en pensais pas moins, vous pouvez me croire... Et vous savez ce qu'y m' dit ? " Oh ! mais j'ai droit à une semaine pour mon mariage, les dimanches en plus. " Il m'a mise sur le cul, madame ! »

Elle a bouclé, chapeau ! Madame rit. Elle est merveilleusement retombée sur ses pattes, comme Proust — lui aussi, elle l'avait rencontré, un tout petit monsieur jaune qui sentait le malade et avait des pellicules sur son col bleu marine de velours, il la regardait sans cesse, elle, avec insistance. Mais elle n'aimait pas son odeur et ne l'avait que très peu invité.

A midi, comme la femme-chauffeur l'avait annoncé, la lumière revint, et Madame, qui inspectait un de ses hôtels, avait alors seulement dit : « Vous voyez, je vous l'avais bien dit... »

Puis, le soir, quand son chauffeur était venu la
chercher avec sa Bentley remise à neuf... et
tandis qu'il y avait l'inévitable embouteillage de
dix-neuf heures quinze devant le Crillon, elle
dit comme cela, pour voir, tandis qu'un taxi les
empêchait de tourner devant la rue Saint-
Dominique : « Mettez-lui donc votre banane au
cul, Georges. — Que Madame me pardonne ? »
Et Madame de rire aux éclats. Elle avait roulé,
roulé la phrase dans sa bouche tout l'après-midi
et l'avait, là, balancée, comme un noyau de
cerise dans la nuque du cher Georges...

Madame eut aussi comme protégée une
femme de ministre — un vrai — qu'elle avait
récupérée et annexée alors qu'un de ces mini-
scandales mondains l'avait mise au ban, à
l'arrière-ban des salons parisiens pour une saison. Un de ses amants avait vendu, enfin,
montré, quelques-unes de ses lettres enflam-
mées à une maîtresse indélicate ou à une
journaliste de la presse à scandale — peut-être

l'amante était-elle aussi journaliste —, en tout
cas il y avait eu scandale et le mari, ministre
d'un grand ministère, avait dû — bien qu'il sût
tout de la vie de sa femme depuis longtemps,
ayant lui-même ses propres jeux hors du foyer
— se séparer officiellement de son épouse, non
sans en profiter pour la laisser sans un sou.
Alors Madame, en une soirée, l'avait phagocy-
tée. Elle tenait une vraie femme de ministre,
certes séparée, mais enfin, portant toujours le
nom, et décidée à la ramener dans le « droit
chemin » — oui, Madame parlait beaucoup de
« droit chemin » —, et donc à son mari, et en
servant de lien entre les deux, elle approchait
ainsi un vrai ministre, plus, pourquoi le taire ?,
un Premier ministre ! Il faut dire que ce petit
bout de femme qui avait tout perdu, pour un
temps, de son statut, plaisait vraiment à
Madame. Elle était gaie, solide, noire comme
une petite chèvre des montagnes, et Madame
alla jusqu'à Venise avec elle, au Cipriani pour
dire : « Je vous présente mon amie, madame
N. femme de notre Prem... » Bien sûr, c'était à
l'étranger que cela rendait le mieux...

La petite ministresse avait aussi de ces
simplicités qui la ravissaient, et surtout, sur-

tout elle riait, riait beaucoup ; et ça, c'était
nouveau pour Madame. Elle adorait, roulée en
boule au pied du lit, recroquevillée, tenant de
ses deux mains ses deux pieds, qu'elle avait tout
petits et qu'elle recouvrait toujours de bottons
de laine rose, et se balançant sans cesse, elle
adorait bavarder. « Arrête de bouger, tu me
donnes envie de faire pipi », et Madame riait
enfin. Ainsi elle racontait mille potins drôles,
ne disant d'ailleurs que ce qu'elle voulait ou
qu'elle savait qui plairait. Des jours et des
semaines elle vécut, ravie de souffler un peu.
Parenthèse luxueuse après une séparation qui
l'avait beaucoup perturbée. Née assez pauvre, — c'est elle qui le reconnut après —, elle
se prit une « ventrée de palaces » se faisant tout
acheter : voiture, bijoux, vêtements, fourrures.
« Elle est si malheureuse... »

Puis elle se fit voler à Madame par un
médecin de New York, aussi laid que riche,
non, plus riche que laid, et qui ne se servait pas
plus sexuellement de la petite dame que
Madame, seulement, aussi snobé qu'elle par le
nom qu'elle portait. Mais beaucoup, beaucoup
plus intelligent que ne l'avait été Madame, il
sut d'emblée accorder une grande mensualité à

la petite ministresse, qu'elle se croie libre, car si Madame l'avait couverte de cadeaux, comme lui ne le fit jamais, Madame ne la laissait libre de rien, pas même de choisir son menu. Alors, un matin, Madame trouva un petit bouquet de fleurs — car la ministresse l'aimait bien — et un mot : « j'étouffe », et tous les écrins et boîtes de cadeaux sur le lit. Vides.

Certes, Madame fit une colère, une rage comme elle savait les faire : ce fut même une de ses plus belles et sa femme de chambre resta trois jours sans oser entrer dans ses appartements. Elle cassa tout, et puis éclata de rire. Un rire bien trop fort... Et tandis qu'elle continuait de casser tout ce qui était près d'elle, mais yeux ouverts, et la main ne prenant plus que ce qui pouvait être brisé sans qu'elle le regrettât vraiment ; tout haut, elle commença à se raconter l'histoire favorite de la vieille comédienne célèbre qui disait avoir connu Madame dans un bordel...

Son histoire ? Elle aimait à la dire et à la redire, quand on la voyait avec un nouveau jeune homme dans ses bagages. Etonnée, Madame s'aperçut qu'elle savait chaque mot du numéro de sa vieille ennemie : « Tu com-

prends, ma chérie, je l'ai vu. Il était beau, beau
à ce que homme et femme se damnent le cul
pour lui. Mais pauvre, pauvre... » Alors bien
sûr, il a commencé par jouer au football dans
des boîtes de conserve vides, ils disent tous ça !
puis il a loué son cul aux hommes, les échelons
chez les homos se gravissent bien plus vite.
« Mais si, tu le sais bien, l'homosexuel est fier
— et la vieille élevait la voix — de montrer
" son petit ". » Il le sort, l'habille, l'exhibe, le
laisse flairer, le loue, le prête éventuellement ;
et puis arrive la dame, la dame plus âgée, donc
déjà riche de ce qu'il désire plus que tout : le
luxe. Alors il n'est plus homo, le jeune homme,
il devient gigolo, parce que longtemps ça a été
plus respectable. Mais alors, avec la dame plus
âgée — et elle riait, la vieille, à ce moment-là
—, c'est moins drôle, car la femme a tendance à
cacher sa trouvaille. Certes, elle l'habille, le
montre à l'heure de la bronzette, mais à sept
heures, dîner dans la chambre, potage,
yoghourt, compresses sur les yeux, et alors il ne
lui reste plus qu'à tagader — oui, elle disait
toujours « tagader », la dame, fort, net, à
grand renfort de « han » — puis de simuler le
sommeil heureux et se tirer après, mais c'est

risqué. La seule chance, c'est quand la dame a
un caniche nain, et de l'emmener le faire pisser
à la bonne heure... « C'est pourquoi, chérie, je
suis trop vieille pour avoir un chien ; c'est trop
dangereux pour moi... »

Mais pourquoi est-ce que je me raconte cette
imbécillité-là ? Elle était dans la salle de bains,
le visage tordu de rage, exténuée de n'avoir que
la colère et les hurlements comme exutoire...
Lasse, si lasse qu'elle se laissa glisser au sol —
c'est là, seulement là qu'elle voulait être quand
elle se sentait trop mal. Et alors, elle serra, serra
son vieux caniche noir obèse contre elle, et en
pleurant, riant, hoquetant, perdue, lui murmurait : « Tu vois, moi, j'ai un caniche, et nain...
C'est toi, toi, et je t'aime. » Mais les sanglots
étaient si violents et son corps si douloureux
qu'elle but, but au goulot de l'eau-de-vie : que
la saoulerie arrive vite...

***

Cela fait déjà trois étés qu'une petite chèvre
brune des montagnes, aux pattes courtes, laisse

une chèvre tachetée poser ses pattes avant sur
son dos, et ainsi la tachetée, en équilibre,
frappe les branches du poirier, lourdes de
petites poires jaune soleil mais sans presque de
jus, et qui s'obstinent à pousser, août après
août, dans ce champ de pierres. Tête tendue, la
tachetée tire alors les branches, la gueule
accrochée à une touffe de feuilles, et secoue,
tandis que l'autre s'arc-boute et que les
poires tombent parmi les cailloux éclatés par
le soc de la charrue et les jachères de l'orge
coupée à la serpe... On y devine la poigne
régulière de l'homme dans sa trace, cisaillée
du toujours même mouvement, et celle plus
irrégulière, à côté, où demeurent même quelques touffes, quelques touffes mi-arrachées,
mi-plantées, faites, c'est vrai, avec une plus
petite faucille à main : c'est sa sente à elle,
Ada.

Ada, elle, un rien la divertit : un lièvre qui
bondit, des perdreaux aux jabots lourds de
grains et qui titubent, saouls de trop manger
d'un coup, que l'on peut attraper à la main,
quand on sait. Puis, quand son dos est trop
cassé, le vieux lui fait signe. Alors elle retourne
à la maison où l'on habite l'été, et après la

brûlure du champ, longe un chemin bordé de murs aux pierres si lourdes qu'il y fait toujours plus frais. Là, les figuiers sauvages, pleins de fruits bleus et blancs, les amandiers et les barbaries l'assaillent jusqu'à l'entêtement. Des heures elle marche, en suivant un des deux sillons laissés par les chariots, pour rentrer à la maison. C'est à l'odeur des boucs, qui, eux, restent dans l'enclos, et au lustré des cailloux du chemin où les troupeaux piétinent en attendant la traite, qu'elle se sait arrivée, tant elle marche, yeux baissés, captivée par les centaines de scarabées noirs qui roulent, roulent des boules de merde de plus en plus grosses, sans jamais s'arrêter. Et puis, c'est la halte devant les abreuvoirs ; là elle donne toujours un baiser à l'eau avant de la boire. Arrive la cour de terre battue, qui sent si fort, chauffée à blanc par le soleil, de toutes les fientes et pisses des bêtes et des hommes. Puis la porte poussée, cette odeur âcre de fumée et de lait qui prend à la gorge et aux yeux, c'est pourtant là qu'ils vivent. Et là des heures durant, du printemps à l'été, la grand-mère emplit des outres faites de deux peaux de moutons rasées et cousues. Elle emplit ces outres de lait bouilli et salé, y enfonce alors

la main jusqu'au coude par le trou laissé entre
les pattes arrière, et malaxe, malaxe cette bête
pelée, obèse, inerte, ballonnée, moirée de
vert et de bleu, cernée de mouches. Malaxe,
que le lait bouilli du jour se mêle à celui d'hier.
Et chaque jour elle découd et recoud, laissant
juste une petite fente, douloureux vagin, que
sorte, continu, de cette bête monstrueuse,
un suint blanc, aussitôt lapé au sol par les
bêtes.

Ada, horrifiée, subjuguée, ne peut détacher
ses yeux de ces cinq ou six bêtes doubles,
accrochées à des pitons le long du mur de
pierre. Parfois elle suffoque, la petite à la tresse
d'or. Alors elle ressort et va derrière la maison,
jusqu'à un escalier naturel de granit rouge, lavé,
relavé par tous les torrents de l'hiver, vers une
grotte, au fond de laquelle elle sait y descendre
par cœur, son pied en connaît toutes les pierres
glissantes à éviter — l'eau est si pure et si
glacée. Bruits terrifiants, chauves-souris affolées, grosses gouttes d'eau qui tombent, lourdes, régulières, et aussi parfois, des traces de
bougies ! Des gens viennent de loin jusqu'ici.
On dit à la ville que c'est le Dieu des dieux qui
est né là et, souvent, les hommes venus des

villes dessinent, prennent des notes. Le grand-
père agacé ne répond pas à leurs questions
imbéciles et de plus, tous lui parlent très fort
comme s'il était sourd ou demeuré. Pourquoi ?
Il n'aime pas que des étrangers pénètrent dans
cette grotte : « C'est pas pour eux », ou
encore : « Il faut laisser les dieux où ils sont,
chez eux, entre eux. » Et les femmes, venues de
loin avec les hommes, crient toujours. Elles ont
peur du noir, disent-elles. Alors la plupart
s'arrêtent à la maison et, fatiguées, demandent
à s'asseoir, et ont toujours envie d'un verre de
lait. Prennent des airs mutins pour boire ;
certaines pincent la bouche et s'arrêtent : « Oh !
mais, comme il sent fort... ! » Et le grand-père
rit... C'est vrai qu'il s'amuse un peu à leur offrir
du lait trop fort, le lait d'une chèvre, qui vient
d'être couverte par un bouc. Et la grand-mère le
gronde. La vieille, édentée, offre alors un brin
de son petit pot de basilic, que la dame se met
sur le bord de l'oreille pour le perdre deux pas
plus loin sans même le ramasser. Parfois, quand
la dame de la ville ne parle pas trop pointu, ne
crie pas, ne s'extasie pas trop systématiquement
sur cette vie « si humble et pourtant si merveilleuse », la vieille offre aussi un petit bouquet

de citronnelle et donne même sa recette de
tisane qui retire tous les maux, heureuse de
parler enfin à d'autres femmes.

Mais elle, Ada, quand elle voit les mules
attachées près de la porte, elle ne rentre pas.
Elle va encore plus loin que les marches de
granit, plus loin que la grotte, jusqu'à la faille
entre les deux montagnes les plus hautes de
l'endroit, vers une langue de terre protégée des
vents, des embruns, où elle a découvert, elle, en
rampant sous les figuiers et les mûriers inextri-
cables, haut de plus de cinq ou six mètres, où
elle a découvert, sculptées sur la montagne,
d'étranges images. A personne, elle n'a raconté
ces visages malhabilement tracés dans la pierre,
et ces animaux qui courent, poursuivis par des
hommes casqués... Elle seule sait qu'ils sont là,
et souvent elle vient en caresser les étranges
formes, en relief, si douces sous la main. Il y a
même comme des traces de couleur orange et
bleue.

* *
*

Madame, injuste, odieuse, généreuse jusqu'à la folie ; Madame aujourd'hui est nerveuse ; elle a fait l'inspection de ses hôtels de la rive droite et rien, rien ne lui a plu. Et ce soir il faut que ses invités la flattent, mais qu'on lui dise : « Vos hôtels sont les plus beaux », ne lui suffit pas. Il faut ajouter que les autres sont sales et que le personnel y est plus que douteux. « Mais alors, vous m'avez trahie ! vous avez dormi dans cet hôtel dont la moquette sent le pipi. » Ça, c'est le Pierre à New York, caillou dans son soulier. Deux fois il lui est passé sous le nez. « Vous m'avez trahie, vous y êtes allé. — Mais non, on me l'a dit. — Qui ? " on " ? » Là, attention : dire le nom d'un homme célèbre qui ne descendrait pas chez elle, elle prétendrait à la seconde qu'elle ne le connaît pas et que, donc, il n'est pas célèbre. Murmurer le nom d'un inconnu ? Mais alors, ça n'aurait pas de poids ! Difficile situation, et le dosage se révélait terrible pour les flatteurs. Même pour ceux qui essayaient de parler seulement pour lui réchauffer un instant son cœur trop vide. Et elle qui n'avait jamais obéi à aucune logique, en prenait-elle, à présent qu'elle était vieille, soudain conscience ? En tout cas, elle en rajoutait dans la contradiction, peut-être aussi pour maquiller les signes de sénilité qui s'annonçaient et qu'il lui arrivait de parfaitement percevoir. Bien délicate situation qui avait à plus d'un coûté son couvert !

Ce soir, l'atmosphère était lourde, très lourde, et Madame savait de moins en moins se contenir. Il fallait faire diversion. Alors, une invitée osa se lancer et ne lui vint qu'une image. Elle l'a vue un peu plus tôt en allumant quelques instants la télévision, tandis qu'elle revernissait son orteil pour la huitième fois, parce qu'elle réenfilait, agacée, son bas trop vite. Elle aurait donné n'importe quoi pour rester chez elle ce soir-là, sur son lit devant la télé, en bouffant deux œufs sur le plat, une baguette entière fraîche et les deux croûtons rien que pour elle, du camembert et du rouge, du rouge. Mais il fallait sortir... sinon toute sa mécanique sociale ascendante, croyait-elle, allait s'arrêter.

Elle avait vu donc un court moment de reportage sur des groupes qui attaquent les passants à New York, dans les parcs et affirma, la voix un peu trop haute, timide : « Il y a recrudescence de violence aux Etats-Unis en ce moment, et les femmes ne peuvent même plus sortir seules. » Alors, de la main, Madame balaya les verres sur la table : « Mais qu'est-ce que vous racontez, pauvre petite crétine ? » La bouteille de champagne, qu'elle avait commandée en attendant ses invités, était vide. « Qu'est-ce que vous en savez, vous, petite Française pisseuse ? » Pisseuse ? Avait-elle vraiment dit « pisseuse » ? Oui. On allait vers l'esclandre. Gérard commençait à louvoyer vers la table, « elle devient par trop insupportable, la vieille, bientôt elle ne sera plus sortable ». « Pas du tout, je traverse Central Park chaque jour, j'y étais encore la semaine dernière, et avec mes diamants, car là-bas je sors avec les Grands de ce monde — sous-entendu, pas comme ici, bande de peigne-culs. Des drogués qui tuent ? Mais il n'y en a pas là-bas, taisez-vous ! Ne parlez pas de ce que vous ne connaissez pas, je vous prie. » Cette fois, elle crie, hurle. Alors la petite invitée abdique ; elle le sait bien que ce qu'elle dit est vrai, ceux qui l'accompagnent aussi, eux qui toussent et lui font des signes affolés. Et Gérard là, dans l'angle, qui de la main lui demande de baisser le ton, d'écraser quoi ! Alors elle écrase. Et puis d'ailleurs elle

s'en fout. Car elle l'aime bien, la vieille dame :
elle est malheureuse quand elle la voit hors
d'elle, elle est si laide alors. Aussi elle murmure : « Oh, vous avez raison, il est sûrement
plus facile de traverser Central Park que les
Champs-Elysées à minuit. — Mais pas du tout,
petite imbécile, vous ne connaissez rien à
l'Amérique ! C'est bien plus dur là-bas, et seuls
les forts survivent. » Et l'histoire racontée par
Madame de repartir, mais dans l'autre sens cette
fois ! Et l'autre, l'autre qui avait seulement
voulu meubler cet horrible vide, ce temps mort
d'un dîner avec Madame, lappe, humiliée,
malheureuse, une larme au pli de sa lèvre
supérieure. Les autres mangent et parlent entre
eux.

Madame est lasse, et elle a posé sa tête contre
le velours de la banquette. Yeux mi-fermés, elle
cherche, pour redevenir calme c'est sa façon à
elle, la couleur qu'avait le ciel ce jour-là, il y a
longtemps, si longtemps : oui, gris pommelé,
avec juste cette barre de rose qui arrivait
toujours deux jours avant les orages. L'herbe
était rase et sèche et sentait au plus fort juste
avant de jaunir et pourrir. Ce jour-là, des
enfants jouaient avec elle. « Ma mère ne devait

pas être là… Mais où ? Je ne sais plus ; sans ça j'aurais sûrement été à la maison, sur la petite chaise, à ses pieds, à faire du point de croix… Ils avaient tous été à la pêche ; non, pas à la mer, mais dans un trou d'eau à côté, mi-eau douce, mi-saumure. »

Elle tourne ses bagues trop grandes, réajuste ses boucles d'oreilles qu'elle s'obstine à porter trop grosses et qui la fatiguent tant. Madame se parle au-dedans d'elle.

**

Madame s'isole. S'éloigne de plus en plus, ne parle plus sans se fâcher, se buter et elle, que même ceux à qui elle avait fait mordre la poussière présentaient comme redoutable, géniale en affaires, de plus en plus, se contente inlassablement de dicter à ses directeurs des lettres qui s'annulent l'une l'autre, ou de faire sans répit des visites de contrôle. Surveillance sordide, tatillonne. Elle reste des heures, cachée dans le hall d'un de ses hôtels. Ou encore elle se fait conduire à une des chambres, en évalue, doigts gantés, la propreté qui naturellement ne la satisfait pas. Et toujours avant de partir, chaparde une serviette, un drap de bain ou un peignoir aux yeux et au su des femmes de chambre terrorisées qui, bien sûr, ne peuvent rien lui dire. Et rentrée chez elle, Madame injurie par téléphone le directeur visé, hurle une fois, dix fois « qu'elle le chasse », qu'elle ne peut supporter un tel incapable, et exige qu'un coursier vienne chercher la serviette ou le peignoir qu'elle a chez elle : « Personne n'a rien vu... Je vous chasse ! » Elle adorait la formule mais se gardait bien de concrétiser le renvoi, même au plus fort de ses grandes colères. Elle savait très bien encore que ses directeurs, qu'elle avait choisis un à un des années plus tôt, étaient tous des professionnels...

« A vrai dire Madame s'amuse », disait un de ses plus anciens collaborateurs. C'était vrai.

Tyrannique le jour, le soir elle étouffait ses pauvres colères qui la faisaient exister et se voulait douce, et même, car elle exagérait tout, mielleuse pour recevoir ses invités. Les velours et les ors des restaurants huppés qui ne lui appartenaient pas, l'impressionnaient toujours, et ce soir encore, Madame, pour essayer de

sortir de cet enlisement — « je m'embourbe »,
avait-elle murmuré à une femme de chambre
chez elle —, Madame, ce soir, soigne une
vingtaine de ses relations « mes relations du
soir ». En effet jamais, même au plus fort de sa
puissance, elle n'avait prié à souper ceux avec
qui elle traitait des affaires le jour. Le soir, elle
aimait s'entourer de cette faune où politique et
artistes se mêlent et font le Tout-Paris, dit-on.

Ce soir, alors qu'elle croyait en avoir invité
une vingtaine, elle en compte, là, plus de
trente. Des gens qu'elle n'a jamais vus, elle en
est sûre. « Mais qui sont-ils » ?, elle ne sait
plus, s'affole, seule, au milieu de tous. Ils
parlent, rient, s'interpellent entre eux. Certains
doivent même se demander qui est cette très
belle vieille dame en robe rose fuchsia qui, au
milieu d'eux, dîne gantée et tire sans cesse sur
les perles noires et blanches qu'elle porte au
cou, mêlées à des rangs de coraux engoncés dans
de trop lourdes mailles d'or. Cacophonie totale,
elle n'entend qu'un grondement avec, par-ci,
par-là, quelques aigus de voix de femmes... Des
masses de clients arrivent. Elle étouffe. Les
serveurs s'agacent, répondent mal, ou pas. Elle
a demandé de l'eau pour Toutou voici une

heure, tout le monde s'en fout. Elle cherche
Gérard des yeux : le fixer, qu'il comprenne,
mais son regard refuse le sien. Et tous ses
invités, elle le voit bien, qui commencent des
phrases, ne les finissent pas, plus, se taisent
quand elle se penche vers eux. Ce soir, elle en
est sûre, il y en a qui complotent, elle ne
comprend rien à ce que l'on dit mais perçoit des
mots qui lui déplaisent. Alors, alors elle fixe un
de ses plus vieux esclaves-amis, que lui, au
moins... Elle lui ordonne, muette : que lui au
moins se lance dans l'un des trois ou quatre
échanges d'images parlées qu'elle autorise à sa
table, des phrases convenues depuis toujours et
auxquelles elle sait répondre. En vain. Occupé à
bouffer, il ne voit ni ne sent son regard. Quant
au peintre qui ne peint plus, il est en conversation chuchotée et intime avec un homme qui
s'est approché de la table. Personne ne l'a
présenté à Madame d'ailleurs, et là, maintenant, les voilà qui sortent leur petit carnet plat
et se donnent rendez-vous. Mais qu'est-ce qui se
trame à sa propre table, qu'elle ne puisse
savoir ? « Indécent. » Ses lèvres se pincent, se
recroquevillent, ses yeux deviennent durs. Alors
elle porte son verre à ses lèvres, encore,

encore... les bouteilles de champagne, ici,
personne n'oublie de les changer.

Madame se sent très mal et pourtant, elle
tient tant à ses dîners. Elle s'y sent mécène,
plus, reine. Puis cela retarde le moment où elle
se retrouvera seule, avec ses nuits trop lourdes à
supporter, portes béantes et ses rêves, toujours
les mêmes, qui viennent et reviennent nuit
après nuit. « Mais qu'on lui parle, bon dieu !
Qu'un de ses invités s'intéresse à elle, un
instant, un seul instant ! » De nouveau elle
réajuste son regard, le vrille encore dans celui de
son plus ancien vassal — celui qui tout à l'heure
a refusé de le lui rendre... Il a connu le mari
— est-ce que même il ne tenait pas un cordon à
l'enterrement ? —, et il sait, en tout cas il le
laisse entendre, des bribes de la vérité. Il insiste
sur le « la »... C'est un compositeur, qui n'a
pratiquement jamais rien composé, mais il
occupe tant de postes officiels que le peu qu'il a
fait écrire par des nègres, disent ses amis de
jeunesse, est joué partout... Il est le compositeur officiel, on l'exporte, on cocoricote avec cet
invité à vie dans tous les Opéras d'Europe et
Festivals du monde entier, où il s'affale toujours
au premier rang. D'abord parce qu'il est la

vedette, et aussi parce qu'il doit allonger ses
jambes enflées, étaler son ventre lourd de
bouffes trop riches, jamais, jamais payées... Car
si sa réputation de compositeur est, au fond du
« vrai » de chacun, nulle, sa réputation d'avare
est mondialement reconnue, et authentique,
elle.

Mais non, il n'accroche pas encore le regard
de Madame. Il le voit pourtant et tout à l'heure
il a murmuré à sa voisine : « Madame aujour-
d'hui est d'une telle humeur que ça n'est pas le
soir à lui raconter sa promenade de l'après-midi
en citant le nom des rues, histoire de meubler la
conversation ! Elle est d'une humeur si odieuse
qu'elle nous engueulera, prétendant que ces
rues-là n'existent pas, en tout cas, pas où on dit
qu'elles sont ! » Non, il n'avait vraiment pas
envie de l'aider à supporter le dîner. Et merde,
elle devient vraiment trop intenable. Et puis, il
est en train de se faire inviter — il va y arriver,
il sent que c'est mûr. Il a huit jours de creux
entre deux festivals cet été et ça le met dans un
état d'angoisse insoutenable. Est-ce qu'on l'oublie ? Mais là c'est sûr, il est en train de se faire
inviter, ça va y être ! et dans la fabuleuse maison
secrète, qui tourne avec le soleil, de cet écri-

vain si sûr de son talent qu'il n'envoie que les photocopies de ses lettres et enveloppes à ses destinataires, gardant les originaux dans des coffres, persuadé que l'histoire en dira merci à ses futures statues. Il est l'écrivain le plus célèbre de ce pays, une gloire qui est dans sa courbe ascendante cependant que son propre talent suit, lui, une courbe aussi inéluctable, mais vers le bas. A vrai dire il ne travaille plus, s'écoute et se contente de ses brouillons, figue séchée trop vite, il n'est plus que le suiveur d'un lui-même défunt, comme il le sait, car il est d'une intelligence rare, il hait l'humanité et lui fait payer sa stérilité récente. Et emploie désormais son intelligence, aidé par un gros appareil de servants, à faire savoir qu'il est le meilleur, l'unique, et surtout, surtout, s'occupe à empêcher les autres d'être, d'exister. Pathologiquement odieux, son unique plaisir physique, il a alors un peu d'écume aux lèvres, est de se vanter qu'il terrorise les ministres et les chefs d'Etat, quelles que soient les élections qui les mettent au pouvoir et que, tous, absolument tous, lui donnent, subjugués, terrorisés, émus, des subventions et des cachets encore plus énormes que les précédents ministres ou prési-

dents ! C'est vrai, tous s'agitent, insectes fébri-
les autour de lui : « Qu'il reste. Qu'il ne s'exile
pas. » Les Français, habitués à vivre assez bien
chez eux, adorent en effet s'emplir la bouche du
mot « exil » quitte à le vider de son sens et de
son amer parfum, comme la pluie sur la pisse.
Mais ses nuits sèches à jamais, outres vides,
pour l'écrivain officiel étaient un enfer à vivre.
Alors, inviter ce vieil obèse, pourquoi pas ? Il
avait, lui, connu vraiment tous les créateurs et
savait des tombereaux de secrets et d'anecdotes.
Lâche et veule, il racontait peu en public ; mais
peut-être que chez lui, bien dorloté, bien flatté,
bien nourri ? Et en apprendre sur la vie des vrais
grands lui faisait encore un rien dresser l'oreille.

Non, l'écrivain officiel ne voulait pas confirmer l'invitation trop vite, aussi se tourna-t-il
vers sa voisine, sans même penser un instant lui
non plus, à accrocher le regard de Madame pour
lui sourire. Il ne lui avait pas parlé depuis son
inclination en guise de salut, il y avait deux
heures de cela. « Elle me veut à sa table. J'y
suis. Pourquoi lui ferai-je des frais en plus ? »
Mais il se détourna très vite de la masse
poplitée, à peine durcie, assise à côté de lui ;
il avait horreur en général des femmes. Mais

celle-là, il ne l'avait jamais vue nulle part !
Curieux pourtant, d'un mouvement de sourcil,
il demanda au vieux compositeur qui elle
était ?... « une pièce rapportée », il l'avait
jaugée d'emblée. Elle ne ferait pas plus d'une
saison, il connaissait les engouements de Paris.
Celle-là, c'est vrai, on la voyait partout depuis
quelques mois, mais elle ne représentait rien et
il laissa son visage tomber, le vieux compositeur... non, elle ne durerait pas, elle faisait
seulement illusion. Elle avait en effet il l'avait
remarqué le sens du flot des mots, mais trop, et
elle lassait, affirmant, montrant, démontrant
son intelligence bien trop vite, tout en ne
sachant les choses que par les autres, incapable
de deviner ou d'être la première à percevoir quoi
que ce soit.

Elle avait été amenée à la table de Madame
— décidément, Madame n'arrivait plus à suivre
le rythme des accouplements nouveaux et peut-
être même n'avait-elle pas vu que c'était un
nouveau visage ? — elle avait été amenée là par
un fonctionnaire à qui était échu dernièrement
un poste politique, il n'en revenait pas ! et
prenait au nom de ce poste une muflée de cette
vie d'artiste qu'il ne soupçonnait pas même il y

a seulement quelques semaines. Sa femme, la légitime, s'agrippait, elle, à sa vie d'enseignante, « c'est du solide au moins, moi... », effrayée de ce nouveau monde, elle le méprisait, le refusait, murée dans sa petite salle à manger. Et lui regardait en bas sa voiture officielle qui ne servait à rien, une voiture de fonction ! Alors il y accolait une cocarde à laquelle il n'avait pas vraiment, vraiment droit, mais elle, cette femme nouvelle dans sa vie, avait un faible pour les cocardes... Oui, ils étaient un peu amants, mais à peine, et en échange de ce milieu où grâce à lui elle accédait, elle lui donnait des mots et des mots, car il en avait toujours cruellement manqué. Bien sûr, elle se servait de lui comme d'un escabeau pour rencontrer des fonctionnaires d'un rang encore plus élevé. Cette situation la subjuguait. Elle aurait même, si elle en avait eu le pouvoir — elle l'espérait bien et elle allait sûrement finir par y parvenir —, elle aurait même offert dix créateurs au four crématoire de la réussite en échange d'une vie de haut fonctionnaire d'Etat. Les créateurs, à vrai dire, elle ne les saisissait pas, ne les comprenait pas — et aussi ses mots n'avaient pas de prise sur eux —, et elle en avait peur.

Alors, c'est humain, elle les détestait. Elle
s'était donné trois mois avec ce pauvre hère
qu'elle méprisait totalement, trois mois pour
réussir à grimper plus haut dans les strates de
l'Etat, grâce à lui au départ. Non, assurément,
cette masse assise à côté de lui, lui l'écrivain le
plus célèbre de France et le plus traduit à
l'étranger, était bien trop médiocre non, ce
genre d'arriviste d'Etat ne l'intéressait pas.
Alors, il regarda enfin du côté de Madame.
« Elle baisse, se dit-il. Elle avait autrefois des
ordures bien plus intéressantes à sa table.
Maintenant, elle a pléthore de riens. » Il se dit
encore : « Il faut que je fasse répondre non à sa
prochaine invitation. Finie, elle est finie. »

C'est vrai que ce soir-là il y avait aussi une
cantatrice célèbre pour ses bijoux, et encore une
pianiste internationale qui donnait à tous sa
carte de visite, elle la sortait toujours d'un petit
sac dont elle aimait à faire claquer le fermoir,
très fort, jusqu'à ce que l'on remarque qu'il
était fait de deux turquoises. Et si votre regard
s'attardait un rien sur les pierres, elles étaient
très belles, elle vous assenait son notoire : « Ce
sont deux vraies, vous savez — et là, sa voix
baissait — données par la petite reine », la

petite reine étant à vie Farah Dibah. Tout le
monde à Paris aimait beaucoup à se servir de la
petite reine mais à voix très très basse. Une
carte de visite presque aussi grande que le menu
du lieu où, en un merveilleux relief noir
rehaussé d'or, explosait son nom. Parfois, la
pianiste, avant de la tendre, en caressait les
signes ; elle avait un besoin physique de se
sentir ainsi exister. La carte, écrite en capitales,
disait : PIANISTE INTERNATIONALE.
« Personne ne peut le contester, croassait le
vieux compositeur, chacun se trouve immanquablement à un bout du globe tandis qu'elle
joue sans doute à l'autre, en tout cas ici, à Paris,
pas un ne connaît son jeu. »
Puis il y eut un bruit, et le compositeur fut
obligé de regarder vers Madame, Madame à qui
personne n'avait parlé depuis près de deux
heures, Madame avait tapé avec son couteau sur
un verre qui s'était brisé — d'un revers de main
elle avait balayé les débris — et crié, très fort :
« Vous savez, je ne rêve plus jamais, ou alors
seulement reviennent les images de mon
enfance. Mais je n'ai plus de rêves depuis mes
quinze ans. » C'était la première fois qu'elle
parlait d'elle et le vieux compositeur en était

tout saisi. Il essaya alors de... Il se pencha vers elle, ému, enfin, troublé, il eut même comme un geste pour poser sa main sur sa bouche, qu'elle se taise, il avait peur, le vieux compositeur, et était si triste tout à coup. Mais la masse gélatineuse, assise à côté de l'écrivain dont c'était le dada, les rêves et leurs explications, avait saisi l'occasion d'exister et de briller. Et vite, en un débit impossible à endiguer, elle regiclait sans une variante tout ce qu'elle avait pu lire sur ce thème dans des revues hautement spécialisées ; et d'expliquer qu'il y avait là d'évidence une raison psychanalytique pour que Madame prétendît ne plus rêver alors que seulement : « Chère Madame, vous vous en interdisez la souvenance. — Pas du tout », dit Madame agacée que l'on décidât et sût pour elle, et comme elle avait vraiment beaucoup bu, ajouta : « Non, on m'a ensorcelée, c'est tout... » Mais devant le silence consterné de sa table, elle commanda de nouveau du champagne et s'esclaffa : « Allons, mais voyons, j'ai voulu rire ! » Ce qui laissa songeur son plus vieil invité, le compositeur. Et soudain lui revint en tête cette histoire insensée de ficelle emmurée dans une maison, qu'elle aurait posée elle-même. Un mauvais sort. Un rite noir. Et aussi l'avion du mari qui s'était fracassé alors que le temps était beau et dont on n'avait jamais su pourquoi il était à l'aplomb de cette montagne-là, tant il avait dérivé de son trajet.

Et à présent, Madame qui riait trop et buvait, buvait encore plus que d'habitude, et les autres qui s'excitaient. « Et en avant pour la fête... » Il se souvint de Madame jeune, dure comme un caillou, toujours en retrait, ayant — cela s'était un peu érodé avec le temps — toujours aussi comme un recul, comme si elle avait peur qu'on l'approche. Madame jeune ne supportait que l'on touche ses mains que si elles étaient gantées.

Madame cette redoutable femme d'affaires qui faisait plier Japonais, Américains et Arabes réunis. Madame, Madame, à qui on ne pouvait pas même dire « Vous avez l'air enrhumée » sans avoir l'air indécent, perdait-elle la tête vraiment ? Et tandis qu'il se faisait reconduire chez lui par une des voitures de Madame destinées à ses amis, il se demanda encore : « Voulait-elle dire quelque chose ? quelque chose d'autre ? » Puis il se frotta les mains, qu'elles se réchauffent, il avait de plus en plus souvent les mains et les pieds glacés. Il se caressa aussi le ventre en passant les doigts en dessous de sa ceinture — il aimait beaucoup cet instant : il avait vraiment bien dîné, mais ça n'était plus du tout aussi bon qu'autrefois... Depuis quand plus rien n'avait-il de goût ? Enfin, ouf, ça y était !, il était invité chez l'autre : « Il a été long à la lâcher, son invitation, dis donc ; j'ai cru que j'allais pas y arriver ! Je me demande si je vais m'y rendre ; ce que je voulais, c'était qu'il la lance, qu'il plie ! » Et il laissa un peu aller sa tête contre la banquette, tout ce manège l'avait beaucoup trop fatigué.

Mais qu'avait-elle donc voulu dire ? Et d'un coup, il s'endormit, la main droite en coquille sur son petit sexe à peine tiède lui aussi. Alors il rêva de Madame belle, si belle, et qui, nue, dansait avec seulement une fleur de tissu noire accrochée à son pubis et qu'un matelot tout en dansant venait cueillir avec ses dents. Pourquoi ce rêve à quatre-vingts ans bien passés ? Etait-ce bien un rêve ? C'était seulement aujourd'hui, et alors qu'il allait avoir — nul ne le savait — quatre-vingt-six ans, qu'il rêvait de Madame, Madame la seule femme qu'il ait jamais désirée, enfin, une fois. S'il avait été l'amant du mari ?

Tout le monde le tenait pour acquis à l'époque.

C'était lors d'un pique-nique au bord d'un lac. En France ? en Italie ? en Suisse ? ça, il ne le savait plus. Elle avait emmené dans quatre de ses voitures ses amis les plus chers du moment. Monsieur vivait encore ? Oui, il était là. Donc, c'était avant la dernière guerre, ou juste après ? Non, après ils ne faisaient plus de pique-nique. Lui était assis dans l'herbe, à côté d'elle. Il faisait frais, et il avait alors osé ramener le pan d'un plaid sur les jambes de Madame et, un peu, sur les siennes. Ils étaient restés ainsi comme isolés des autres, enfin lui l'avait ressenti ainsi. Et puis Madame, d'une mallette en osier, avait sorti ce gros shaker d'argent et d'ivoire, « un si bel objet », et y avait versé du citron vert, du sucre et du bourbon, puis elle l'avait secoué, secoué au rythme sourd d'une chanson à la mode, et leur avait ainsi concocté une boisson américaine — du bourbon-sour — qui les avait tous réchauffés. Alors, profitant de son ivresse, il avait posé un instant sa main sur celle de Madame qui jouait à coucher puis à redresser l'herbe nouvelle contre son pied tandis qu'elle en mangeait les pousses les plus tendres. Elle l'avait regardé alors avec une telle dureté, non, plutôt avec une telle sauvagerie qu'il avait vite changé de place, terrorisé. En sueur. Il avait toujours cru que Monsieur avait vu son geste, plus, qu'il avait deviné et attendu la suite, et qu'après, oui, il lui avait souri gentiment d'un air de dire : « Il n'y a rien à faire, mon vieux. »

Décidément, tout le monde avait vu, car au retour, il était dans une autre voiture que Madame. Le chauffeur lui avait murmuré : « Vous savez, Madame n'est pas une vraie femme. » C'est alors qu'un ami du mari assis à l'arrière, — ami que Madame avait d'ailleurs par la suite très vite évincé, personne n'avait su pourquoi —, avait, serrant les jambes contre son thorax — le vieux se souvenait de ses petits pieds qui s'agitaient tant il riait et aussi qu'il portait des chaussettes de fil rose dont une bien plus foncée que l'autre —, serrant ses jambes contre lui et hoquetant de rire, avait affirmé que Madame n'était peut-être pas une vraie femme mais qu'elle avait pourtant fait les beaux soirs d'un bar du Pirée en 1915 ou 1916, et que son grand numéro était alors une danse nue, avec seulement une rose noire glissée entre les poils de son sexe blond-roux et que les clients

avaient le droit de venir la chercher avec la
bouche, mais sans y mettre les mains, sinon
c'était la tournée pour tout le monde. Le vieux
compositeur lâche, qui était alors un jeune
compositeur lâche, s'était dressé et avait, pourtant, flanqué dans l'instant son poing dans la
figure de l'invité. Mais il avait les mains si
petites que l'autre n'avait pas senti grand-chose.
Puis il s'était rassis, heureux et enfin fier, et
avait senti que le chauffeur dans le rétroviseur le
regardait et le complimentait. Il aimait tant la
reconnaissance des autres, surtout, curieusement, de ceux qu'il pensait être des inférieurs.

Miracle, Madame ne lui en avait pas voulu,
et il était resté un de ses plus vieux amis. Mais
de longtemps, lorsqu'il buvait un bourbon-sour
et qu'elle était là, il n'osait la regarder, sûr
qu'elle se souvenait elle aussi. Non, Madame
buvait un, deux, trois bourbons préparés ainsi,
sans plus le regarder, ou en le regardant mais
sans que rien jamais ne vînt, elle, l'assaillir.
Oublié, elle avait oublié, ou peut-être même
avait-elle à peine senti sa main se poser sur la
sienne, ou encore avait-elle cru à un geste
accidentel ?

Plus de cinquante ans après, cette rose noire,

enfermée en lui, revenait éclore dans son rêve.
Une belle rose noire, lourde, et toute la voiture
ce soir sentait la rose quand il s'éveilla, hébété.
Son sommeil n'avait duré que quelques instants
et devant l'insistance du parfum, il prit peur,
un peu, et se dit : « Attention, je bois et mange
trop. » Et tout le reste du trajet, il se tâta le
pouls... inquiet, car le rythme parfois, croyait-
il, s'en modifiait.

*<center>**</center>*

Madame, lorsqu'elle était par trop seule et
que ses lèvres se collaient l'une contre l'autre,
jouait à un jeu, et depuis si longtemps qu'elle
savait en compliquer les règles presque à l'in-
fini : elle téléphonait aux agences de place-
ment. Connue depuis longtemps par la plupart
de celles-ci, on lui répondait qu'il n'y avait rien
d'assez bien pour elle. Alors, elle avait non pas
des rabatteurs, mais des relations qui ne voulant
pas croire que ça n'était qu'un jeu, cruel, lui
donnaient encore de nouveaux numéros d'agences. Et depuis quelques mois une religieuse

s'était faite la spécialiste des étrangères à malheurs. Cette fois elle se confond en promesses et promet d'envoyer à Madame « une dame seule, bien sous tous rapports, une perle ». Sur la fiche, elle l'avait faite veuve de sous-officier, c'est toujours réputé bon.

« Oh ! vous savez, dit Madame à la demanderesse, vous n'aurez que très peu à faire ; c'est seulement en attendant que mon valet de chambre revienne du tour du monde — oui, je lui ai offert. Chaque matin je vais au bureau, mon chauffeur me prend à neuf heures. Je déjeune avec ma secrétaire chez Maxim's, c'est ma cantine : Gérard serait trop triste si je n'y allais pas. Et le soir, très souvent, j'y traîne des amis de nouveau, mais alors, là dans un salon du haut... Jeannette prétend qu'elle reconnaît mes pas sur le trottoir et le trottinement de mon caniche. Pensez, j'ai le même depuis trente ans. Puis, je pars trois mois en Amérique, six au Japon et fais toujours chaque année une croisière de quatre mois. »

Snobée, roulée par cette vie, l'autre ne fait pas son compte de mois et accepte, aveugle à tout ce qui ne tient pas dans le discours, se confond en remerciements. Oui, bien sûr, elle portera des blouses roses le jour et une petite robe noire le soir pour servir Madame, et aura droit à un petit collier de perles pour les dîners intimes.

Et d'arriver le lendemain avec sa valise en skaï, en rêvant de l'inévitable Vuitton qu'elle va bientôt pouvoir s'offrir. Et de foudroyer du regard la gardienne, « une salope », elle le sait, Madame lui a dit, « une voleuse »... D'ailleurs, Madame lui a laissé entendre que... Déjà prête à haïr-aimer sa nouvelle patronne, déjà prête à se plier à tous ses jeux, et de sonner, sonner, et personne ne vient ouvrir ! Alors, tout ce salaire de se doubler dans sa tête. Et de redescendre injurier la gardienne : « C'est vous qui me faites perdre cette place ; qu'est-ce que vous lui avez dit ? » Et le téléphone sonne, c'est Madame : « Allô, est-ce qu'elle est partie ? Je n'ai pas ouvert, vous savez, le préfet de police m'a personnellement téléphoné, je vous dirai. Cette femme est une espionne, d'ailleurs on va très prochainement l'arrêter et dites-moi, vous m'apportez bien mon riz, à midi, ma petite ? C'est ça, et merci, mon Dieu, qu'est-ce que je ferai sans vous ! Vous vous rendez compte, elle me forçait, voulait pénétrer de force chez moi.

A quoi j'ai échappé encore! Mais ça ne se
passera pas comme ça, je vais porter plainte! »

*

Madame, lorsqu'elle était non pas seule
— elle l'était toujours —, mais trop lasse pour
nourrir sa bande de « pique-Maxim's » ou
« pique-Drouant », comme on les appelait,
dînait de plus en plus souvent chez elle,
accoudée à la paillasse de son petit office. Elle
s'était choisi une assiette creuse, ébréchée, avec
une grosse fleur bleue mal peinte en son milieu,
et une cuiller de méchant aluminium qu'elle
gardait depuis des années cachée; et ainsi,
debout, mangeait en cherchant du bout de la
cuiller les ébréchures pour les racler longuement, yeux perdus au loin. Elle restait des
heures, à écouter ce petit bruit. Autrefois, la
femme de chambre venait la chercher pour la
déshabiller. Mais ces derniers mois, personne ne
venait plus. Elle chassait systématiquement
tout le monde. Très très tard, elle se traînait
jusqu'à son lit, dont les soies bleu pâle étaient

maculées de taches de doigts, de toutes les couleurs de la vie intime ; et cette soie, que son décorateur prétendait avoir fait tisser pour elle à Lyon, s'effrangeait de partout, ce qui faisait dire à son dernier chauffeur que ça devait être vrai qu'elle avait été tissée pour elle, aucune soie ne se déchirant aussi vite !

Entourée de piles de journaux qui racontaient, sur l'éternelle même trame, toutes les amours du globe, starlettes et princes mêlés, elle buvait alors au goulot une eau-de-vie si forte qu'elle empuantissait la chambre et le boudoir durant des heures, et envoyait le chien obèse au plus creux de la salle de bains, saoul lui aussi, intoxiqué par les émanations.

Dès huit heures du matin, parfaite, elle gérait à sa manière, de son bureau, ses affaires. Encore redoutable, à vrai dire.

***

Bien sûr c'était officiel, et de plus, vrai : son mari était mort dans un accident d'avion. Mais longtemps certains anciens directeurs d'hôtels,

renvoyés il est vrai, avaient prétendu avoir
rencontré le fils naturel avant qu'il quitte la
France : il jurait à qui voulait l'entendre, que la
mort de son père n'était pas accidentelle et que
— son père en était sûr — Madame l'avait
ensorcelé. D'ailleurs, à la fin de sa vie, il se
sentait comme cerné, étouffé, et, la veille du
voyage, il avait dit en se courbant : « Je me
sens broyé. » Il avait encore parlé d'une chemise
à lui qu'il aimait bien, disparue puis rapportée ;
c'était Madame, il en était sûr, qui l'avait prise.
Qu'y avait-elle fait faire ? Il se le demandait,
yeux exorbités, terrorisé. « Il avait peur, répétait le jeune homme, il avait peur. » Et le
lendemain, l'avion s'était écrasé contre une
montagne et on avait retrouvé des lambeaux de
Monsieur recouvert de ladite chemise.

Madame connaissait bien sûr tous ces bruits-
là, mais elle qui s'angoissait pour un non-
regard, un non-salut, n'en avait cure. Plus : elle
en riait. Elle savait aussi, mais n'en parlait bien
sûr jamais, que certains lui prêtaient encore une
autre mort... Un petit amant de son mari, il y
avait plus de soixante ans de cela, s'était enfui,
non, elle l'avait chassé, une nuit où il était à la
campagne chez eux : une « Folie », où la rivière

coulait au milieu des trois salons. Le petit, gentil, insignifiant, s'était sauvé après une scène dure où il avait prétendu que Madame, sous prétexte de travaux, avait fait desceller quelques pierres des fondations et y avait caché une ficelle de la taille de son cou à lui, puis les pierres recimentées, qu'elle avait murmuré — le petit jardinier l'avait entendu —, plusieurs fois, sept : « Il mourra décapité. »

Monsieur, qui détestait les affrontements directs, exigea pourtant des éclaircissements. Mais Madame, devant tant de bêtises, se contenta de hausser les épaules. Puis, parce que les cris du jeune éphèbe relevaient de la crise de nerfs et que ces excès choquaient un peu Monsieur qui n'aimait pas les signes extérieurs qu'ils soient de joie ou de chagrin, elle lui souhaita « bon vent ». Et connaissant son goût du luxe, lui dit de prendre, qu'elle la lui donnait, une de ses voitures. Il ne se le fit pas dire deux fois, sauta dans le petit cabriolet et, roulait-il trop vite encore énervé par la scène ou par la splendeur du cadeau ?, la petite voiture, dix minutes après son départ, se fracassait contre un arbre. On avait retrouvé son corps dans la voiture, et sa tête, elle, au loin, très loin.

Longtemps, Madame — certains domestiques de la maison l'affirmaient — longtemps
Madame avait déposé du lait et du miel « pour
les chats sauvages », disait-elle chaque soir,
« pour que le fantôme du petit ne vienne pas
faire le charivari », disaient les plus vieux.
« Mais non, expliquaient d'autres, Madame
faisait cela bien avant l'accident. »

En tout cas, à la mort de Monsieur, Madame
vendit très vite cette Folie : « Je ne l'ai jamais
aimée. » Cette maison magnifique fut d'ailleurs après très souvent vendue. Personne ne la
gardait longtemps. Trop de charges ?

Jeannette, la dame-vestiaire de chez
Maxim's, trône, elle est si petite, dans sa boîte,
là, à gauche, juste un rien surélevée, accotée au
mur du couloir qui sert d'entrée, qu'elle doit se
tenir, dit son assistante, debout sur deux
bottins sinon ses seins, lourds et sans rapport
avec sa taille minuscule, cognent et s'affalent ;
mais ainsi, et corsetés et bétonnés, ils prolon-

gent la lourde planche de bois où l'on dépose les manteaux et les capes.

Grande professionnelle, Jeannette. Grande snob aussi, elle se fait fort de reconnaître les manteaux de chacun et de chacune. On ne donne pas de ticket ici, ou alors aux touristes, ou à ceux qui ne viennent d'évidence que pour une fois ! « Ça se sent quand ils entrent. » Mais jamais aux vrais clients. Aujourd'hui Jeannette a deux zibelines fabuleuses et son œil se marre. La vieille, enfin Madame, affirme chaque fois qu'elle lui tend la somptueuse masse légère : « C'est Sachs, de la 5e Avenue qui me l'a faite, cette zibeline, avec des peaux venues de Russie en fraude, des peaux retrouvées dans les coffres du Kremlin, et vendues par Staline d'ailleurs. Unique. Cardin me supplie de la lui vendre. Jamais ! »

Mais ce soir la zibeline a son double ! Alors, oui, elle se marre, Jeannette, et appelle la dame des toilettes : « Regarde, il avait bu un coup ou quoi, l'Américain de la 5e car la pute russe, elle a la même. Absolument la même. »

Et toute la soirée, Jeannette enfonce ses mains, paumes bien à plat, au plus creux des pelages gris argent, là où il y a dessous comme

un duvet ; puis elle tourne et retourne ses
poignets doucement, que le bout des touffes la
caresse. « C'est vrai que c'est unique, la zibeline », murmure-t-elle. Même dégradé de gris
avec la dernière vague du bas plus claire, même
doublure brodée de fil de vieil or dans les deux
manteaux ; avec les mêmes motifs « vous savez,
ceux qui ressemblent à ces broderies d'église
qu'il y a chez les catholiques, qui ne sont pas
des catholiques comme nous. Comment qu'on
les appelle déjà ? Ils ont une église avec des
clochers ronds et chantent plus sauvage que
nous ? Je le savais. Comme c'est agaçant d'ou-
blier ! Et même qu'ils se trompent et font leur
signe de croix à l'envers... Mais aidez-moi !
C'est vrai, vous n'étiez pas née ; mais Lifar le
faisait toujours en entrant ici, ce signe. C'est
comme un nom de maladie : " orthote " ?
" ortho " quelque chose... — " doxe " ? —
Oui, c'est ça. Mais comment vous avez
trouvé ? »

Madame s'ennuie, ce dîner se traîne. Avec sa
manie de venir à dix-neuf heures, les serveurs
pas encore chauffés la font, elle et ses invités,

seulement quatre ce soir, lambiner et après les drinks, ils oublient sa table, soucieux d'accueillir les nouveaux arrivants. Oui, ce dîner se traîne, et sa côte d'agneau, une fois de plus, n'est ni grillée ni bouillie ni cuite : gluante seulement et pas même tiède. Ses chevilles ont encore gonflé. Elle a ôté tout à l'heure ses escarpins pour frotter un instant ses pieds sur la moquette — elle aime, cachée par la nappe, cet instant qu'elle s'offre chaque fois qu'elle le peut ; elle a pu réenfiler le gauche, mais le droit, impossible. A croire que quelqu'un le lui a changé sous la table. Non, elle n'y arrive pas. Alors elle soulève sa jambe, que le pied se décongestionne. Surtout n'effleurer personne de ses invités, ça serait « mal élevé ».

Assise sur la banquette, face à l'entrée, sa place habituelle, celle d'où l'on voit les gens entrer, c'est toujours son spectacle favori ; longtemps, elle s'est tenue droite, mais de plus en plus souvent, le soir, elle s'appuie contre la poutre porteuse recouverte de vieux velours rouge qui sépare la petite salle à manger, la chic, de la plus grande et de l'orchestre. Elle y appuie son épaule mais pas son visage : ne s'est jamais faite à l'odeur de ce velours, de la colle qui le tient.

Ce soir, à ses invités, et elle s'en agace, elle n'a, comme toujours, rien à dire. Alors, elle émiette son pain et, main gauche à demi repliée, en fait des petits tas que d'un coup sec elle disperse ; puis recommence. Tandis que sa main droite joue, inlassable, avec son couteau. Le peintre célèbre, celui qui ne peint plus mais qui monnaye à vie sa traversée du rideau de fer, en attrape une espèce de vertige. Tout à l'heure, il a failli lui taper sur les mains, ou lui arracher le couteau. Il ne se sent pas bien, sa Colombe — sa femme — est partie en week-end, seule, se reposer... et un homme de sa chambre a répondu au téléphone quand il a appelé. Elle a ri et dit : « C'est le porteur de bagages. » Elle a ri trop fort, le porteur de bagages ? Il était seize heures ! Et elle était arrivée depuis le matin. Il en est sûr, il a mal. Enfin presque. Non, il a mal, et puis ça peut foutre par terre la légende. Furieux. Alors, quand Madame l'a invité, il a dit : « Si vous permettez, je viendrai avec une jeune protégée... »

Elle n'aimait pas cela, Madame. Madame qui s'obstinait à ne fréquenter, croyait-elle, que des couples officiels, du moins parmi les couples hétéro, car elle avait depuis toujours une immense tendresse pour les homosexuels hommes. Mais enfin lui, c'était un « original ». Alors un « oui » était sorti de ses lèvres pincées... « Ainsi, lui aussi ? »

Donc il avait amené Jeanne, la petite Jeanne comme il l'appelait, elle qui parfois avec de gentilles caresses bien faites, le calmait des énormes goulées de ce désespoir qui le faisait sangloter, sangloter, surtout sur lui-même. Il lui arrivait de se taper la tête contre le sol et de dire : « Je suis infâme, infâme. » Et sa Colombe, habituée, haussait les épaules, agacée, irritée, lassée et choquée aussi : « Il faut savoir ce que l'on veut dans la vie, non ? Infâme, tu l'étais avant, tu es né infâme d'ailleurs. Alors pourquoi changerais-tu, mon bel aigle ? »

Il était venu ce soir-là chez Maxim's décidé à faire peur à sa Colombe, il avait même annoncé à la petite Jeanne qu'il y aurait des photographes, mais ne leur a pas fait téléphoner. Plus, il a glissé un billet à Gérard, pour qu'il écarte le photographe de service. Le vendredi, soir immuable de gala, il y en a toujours un qui vient traîner. Il le connaît, un barbu fauché et ce soir on est vendredi. Mais Gérard l'écar-

tera, et même lui, d'un regard le fera s'éloi-
gner.

Jeanne, elle, n'est pas encore blasée, et les
coquilles Saint-Jacques mal décongelées, bouil-
lies et rebouillies qui ballottent dans son
assiette, la ravissent. Et elle prend en toute
innocence les rondelles de carottes pour du
corail. « En trois ans, quel chemin, Sei-
gneur ! » C'est ce qu'elle se dit chaque matin,
mains appuyées sur le lavabo, lampe crue sur le
visage, tandis qu'elle contrôle ses gencives.
« Tes gencives, lui criait autrefois sa mère
chaque matin, n'oublie jamais de soigner tes
gencives. »

Adolescente déjà, Jeanne prenait son sexe
pour un petit ouvre-boîtes. Maintenant il lui
sert d'ouvre-boîtes à carrière. Violoniste, elle
veut jouer dans cet orchestre-là. Paf ! un coup
de zizi-panpan — c'est ainsi qu'elle appelle
« faire l'amour » depuis son enfance, et aussi
« clac-clac » ou encore « flic-flic mademoiselle ». Pour être dirigée par ce chef-là ? Créer
l'œuvre de ce compositeur-là ? Un coup ou
deux... Elle le faisait, l'amour, en toute innocence, persuadée qu'il le fallait, que ça les
rendait plus doux, plus gentils — ce qui était,

tout bien considéré, assez vrai ! Mais elle, elle
s'en fichait, ne sentait rien, et n'avait jamais
souffert des affres de la frigidité. Oui, elle s'en
foutait : c'était jouer du violon qu'elle voulait.
En amour, elle ne sentait rien, cela ne lui était
jamais venu, et si cela avait été, elle l'aurait
accepté, mais finalement, ça lui aurait peut-être
compliqué son temps et son organisation de vie.
Elle prêtait son petit trou comme ça, gentiment. Une gentille, qui d'ailleurs prêtait toutes
ses autres petites affaires. Alors, pourquoi pas
son sexe ? Et ainsi elle jouait plus, il faut bien le
reconnaître — du moins au début parce que,
après, les utilisateurs, comme toujours, commençaient à se vouloir propriétaires uniques.
« Quoi ? » lui disait le chef d'orchestre, « avec
ce manchot de merde qui ne sait battre la
mesure qu'à deux temps ! » « Quoi ? » disait le
pianiste avec qui elle faisait des tournées et qui
voulait croire que la petite porte de Jeanne ne
s'ouvrait que pour lui, en hommage à sa beauté
et à son talent, c'était un immense naïf.
« Quoi ? tu as... — il ne disait pas le mot,
soudain pudique — tu as... avec ce... dont le
jeu est un martèlement digne d'un haltérophile
sans âme, sans technique et sans intelligence ? »

Ce qui le fâchait surtout, c'est que son rival fût
en effet un très mauvais pianiste et que son...
ait été, qui sait? peut-être presque en même
temps dans le sexe de Jeanne. Et si par
imprégnation il allait lui aussi devenir un
mauvais pianiste? Ça peut arriver des choses
comme ça! Alors, il posait ses mains en coquille
sur son entrejambe, comme pour protéger sa
verge recroquevillée de peur. Jeanne riait quand
il se fâchait, mais, à elle, ça ne lui déplaisait pas
d'être un petit chaudron où se concoctaient des
mélanges.

Et Jeanne se plaisait, tandis qu'elle jouait du
violon, répétait, faisait ses exercices, c'était une
professionnelle très sérieuse, bien que totalement démunie de goût artistique, oui, elle se
plaisait à imaginer quel fabuleux concert elle
avait en elle! Sûr, il y avait bien assez d'œuvres
en elle pour tout un concert, plus, un festival
d'au moins huit jours. Et même sans doute, de
quoi faire des *bis* et des *bis*. Et elle riait Jeanne.

Pourtant, cet après-midi, elle avait reçu une
lettre de rupture du pianiste naïf et méchant et
malheureux, il lui écrivait : « Toi qui aimes les
rituels, si tu avais gardé un poil du sexe de
chacun de tes amants, tu aurais décidément à

cette heure un joli petit coussin rebondi pour poser tes chevilles fragiles. » Cet après-midi elle avait trouvé la lettre bête, et ce soir, sous les lustres de chez Maxim's, elle trouvait l'idée du coussin amusante. C'est vrai qu'elle aurait dû !

Elle riait ce soir, se voulait heureuse. En trois ans de vie à Paris, c'était son premier souper chez Maxim's... « Décidément, les peintres sont moins radins que les musiciens. » Les musiciens, c'est plutôt le style brasserie après le concert. Mais ce soir elle était là avec ce peintre si célèbre que ça n'était plus la peine qu'il peigne, et, mon Dieu, il était supportable, supportable et gentil avec ça. Il lui avait en effet offert une, non, deux boucles d'oreilles, mais dépareillées ! Jeanne les avait reçues comme de vrais cadeaux, car elle n'était peut-être pas une pute au contraire de ce que pensait Madame en la regardant yeux petits et plissés, bouche serrée.

Jeanne, qui savait lire sur les lèvres pincées et les yeux clos, entendait ce que Madame se marmonnait bouche fermée : « voleuse de mari », « voleuse de mari ». Et pour ne pas éclater de rire, et aussi pour faire son geste des doigts qu'elle devait absolument exécuter afin que la chance demeure — elle le faisait depuis toujours, matin et soir, et cela la protégeait très, très bien —, elle se pencha sous la table, non sans avoir piqué un peu de sel qu'elle dispersa au sol ; et tandis que du pied elle l'enfonçait dans la moquette, commençant à réciter ce qu'elle devait réciter, elle éclata de rire enfin. Assis sur l'escarpin de sa maîtresse, le vieux ·caniche était tout alangui tandis que Madame branlait doucement, doucement, du bout de deux doigts gantés, son petit sexe violet dressé.

Pendant tout le début du dîner, le chien n'avait pas cessé de tirer sur sa laisse dont Madame gardait l'anse autour de son poignet et l'animal n'avait eu de cesse que d'aller se frotter contre la jambe de Jeanne. Jeanne l'affolait. Au début, elle l'avait de la main écarté d'autant plus qu'elle portait une robe de satin noir, et que le satin noir, ça marque comme rien. Puis elle l'avait franchement repoussé du bout de son soulier, mais le vieux peintre lui avait lancé un regard sombre... Elle s'agitait trop ? il fallait qu'elle écrase. Ce vieil animal obèse et pelé avait tous les droits. Alors elle avait laissé Toutou, ce cher Toutou, se frotter spasmodiquement contre sa jambe, non sans avoir relevé sa jupe longue — un bas de foutu, ce n'est pas grave, et mon dieu, elle s'était vite habituée à cette chaleur, là sous la table... Mais depuis un moment, il avait cessé. Pas étonnant. Jeanne, avant de se relever, se demanda : « Mais serait-elle jalouse, la vieille, et est-ce pour cela qu'elle lui fait ça ? En tout cas, ça avait l'air rudement mécanique ! ou elle le calme comme ça ? »

Puis Jeanne se reprit, fit un doux sourire à Madame et commença à parler posément de politique. Mais alors ce fut son voisin de droite — un ex-directeur de l'Opéra reconverti dans le métier d'imprésario — qui lui flanqua un énorme coup de pied méchant : il n'aimait pas du tout Jeanne, ni la musique qu'elle interprétait, et trouvait insensé que l'autre eût osé venir avec elle ici... « Interdit de parler politique devant Madame ? » Bien. Elle se tairait.

L'ex-directeur de l'Opéra, lui, connaissait parfaitement Madame et aimait, le vendredi, être vu chez Maxim's. Aussi quand il n'avait pas d'autre invitation, acceptait-il la sienne, qui était à vie, n'envisageant pas de payer une seule fois de sa poche. « Chez Maxim's, on ne va qu'invité. » Et depuis quelque temps, avait-elle tellement vieilli ?, en tout cas, elle acceptait qu'il soit accompagné de son nouvel amant — elle avait pourtant beaucoup aimé le précédent et le regrettait même. Il l'amusait. Mais son invité officiel depuis toujours était l'ex-directeur de l'Opéra, aussi elle ne voyait plus l'amant rejeté et cet imbécile ne s'était casé avec aucun des homosexuels chics qu'elle fréquentait.

Son nouvel ami, lorsqu'il se savait invité, se livrait à une véritable danse de sabbat. « Comme il bougeait bien, l'animal ! » Et ce soir, assis, là chez Maxim's, l'ex-directeur de l'Opéra souriait encore de la joie du « petit ». Tout à l'heure, dans leur salle de bains, nu, après avoir bondi, sauté, hurlé et failli flanquer par terre les litres d'eau de toilette posés à côté des plantes vertes à même le sol de glace — ce qui l'avait agacé, il tenait terriblement à ses objets —, le petit s'était mis à imiter quelques danseurs et leurs tics. Il adorait ce jeu, le vieil amant. Certes, il y avait des numéros connus, tacites, entre eux. Comme celui du danseur qui, après des mouvements s'apparentant bien plus à la gymnastique qu'à la danse, terminait toujours sa figure de face dans une attitude d'art martial, mais les mains ployées à la japonaise.

Ils s'écroulaient alors, bégayant : « Béjart, Béjart. » Puis, yeux clos, bras et mains tirés en avant au cordeau, sur les pointes, le petit mimait la mort du cygne avec une jambe raide comme faite de bois, et l'ex-directeur alors s'étranglait, la tête enfouie dans le peignoir de bain du gosse et murmurait le nom d'une amie intime, ennemie du moment. Exécrant les danseuses étoiles il prétendait toujours qu'elles avaient toutes, absolument toutes, l'air de danser avec des jambes prothèses attachées sous les bras.

Mais ce soir le jeune homme avait mimé un nouveau personnage : il dansait, ou plutôt se soulevait pesamment, pieds accrochés au sol, jambes un rien écartées, cul sorti, et pourtant, ventre en avant ; le vieux avait dit : « Tu triches, ça c'est Orson Welles. » « Non », avait fait le danseur de la tête alors il avait dit le nom d'un ministre, ami intime des deux. « Pas du tout, avait répondu le gosse, c'est Noureïev dans quinze jours. » Et l'ex-directeur était resté triste alors un long moment. Il avait tant aimé Noureïev ! Puis, tandis que l'autre riait, le corps mouillé du bain, son sexe s'était dressé, souvenir ? Désir de l'absent ? Emerveillement d'avoir

là ce jeune homme qui cachait sublimement ses
trente ans ? Il l'enlaça brutalement, et le front
de son jeune ami s'en alla alors cogner contre un
miroir, ce qui le laissa boudeur et plaintif un
bon temps après l'amour.

Et, ostensiblement ce soir, lèvres entrouver-
tes, il touche son front encore meurtri, cherchant le regard de l'autre, qui se plie un instant,
tant son sexe le taraude de nouveau. « Rentrer,
mon dieu, rentrer. » Mais il n'était que vingt et
une heures. Alors il se pencha vers Madame qui
sommeillait un peu, posa doucement sa main
sur la sienne, non sans effleurer le diamant carré
qui lui couvrait presque la moitié de l'annu-
laire. Elle secoua plusieurs fois très vite la tête
— elle faisait ce mouvement de plus en plus
souvent. Il lui sourit, et se penchant près de son
oreille, commença à lui détailler la salle. « Qui
est cette femme que l'on voit depuis quelque
temps partout ? — Ah, la petite Russe, la
rousse, dit Madame déjà renseignée. — Mais,
vous savez, répliqua-t-il, c'est étrange, elle est
arrivée à Paris depuis à peine quelques mois et
tout le monde se l'arrache. Elle a un humour
très étrange, dur, impitoyable, mais fort, dit-
on. Si elle est la maîtresse de l'ambassadeur

russe ? Oui… mais elle n'est pas russe. On dit qu'il l'a trouvée dans une Démocratie populaire — où il était venu remettre de l'ordre à coups de tanks —, il en est devenu fou, et au risque de briser sa carrière, il a réussi à l'emmener. On dit — mais que ne dit-on pas — et là, il se pencha et murmura encore à l'oreille de Madame — on dit qu'à Washington, elle était très proche de Kissinger.

— Oh, fit Madame, en portant la main à sa bouche, une espionne ? »

C'était sa terreur. Durant la dernière guerre, elle en voyait partout. Sa terreur et sa passion.

L'espionne russe et rousse était grande, sculpturale. Elle regardait, elle aussi, le spectacle de la salle, mangeait peu, et Madame l'avait vue donner à son chien à peu près tout son foie gras. Le chien ? un caniche un rien plus grand que celui de Madame, et gris, alors que le sien était noir. Elle s'ennuie la « pute », s'était dit Madame qui, depuis plusieurs années, traitait au secret d'elle toutes les femmes, un rien autres que les convenues ou les confites en tradition, de putes.

Madame soudain s'immobilisa. L'espionne, la pute, au milieu de ses bracelets — de lourdes

gourmettes d'or constellées l'une de rubis,
l'autre de turquoises, l'autre d'émeraudes et une
encore de brillants — portait les bracelets de
Fulco di Verdura, les fameux en ivoire blanc
avec un cœur de diamants et d'onyx en leur
milieu !, ceux qu'il avait créés pour Chanel !
Madame les lui avait vus au poignet, en avait
rêvé. Mais « Mademoiselle », qui voulait pourtant, disait-elle, être toujours copiée, n'avait
jamais accepté qu'il y eût deux autres bracelets
identiques à ceux-là. Madame avait pourtant
proposé des fortunes pour les avoir, en vain. Et
puis cette « folle » de Coco avait dû les donner
à un amant, et les bracelets avaient disparu. Et
là, ce soir, ils étaient au poignet de cette rousse.
« Elle va en abîmer un », s'agaçait Madame. En
effet, son caniche tirait sur la laisse, voulant
sortir, et elle le retenait, comme Madame, en se
passant l'anneau autour du poignet droit coin-
çant ainsi ses bracelets. C'est vrai qu'elle s'ennuyait, la rousse, et que des images qu'elle
s'interdisait venaient à l'assaut. C'était la mauvaise heure pour elle, et elle avait beau fixer ses
yeux sur un visage, attraper des mots et avec
eux s'inventer une histoire, elle avait mal, très
mal. Ce soir, elle avait décidé de regarder cette

vieille dame qu'elle avait déjà vue au concert.
Non, ça n'était pas au concert. Où alors ? Elle
trouverait. Elle avait la mémoire du détail,
rare ; et cette quête allait l'occuper toute la
soirée, elle adorait chercher. Parfois même,
quand elle était sur le point de se souvenir, elle
retardait le moment dans sa tête. Là, non, elle
ne savait plus où elle avait déjà vu cette si belle
vieille dame qui avait l'air si — comment dire
— si absente d'elle, c'est ça, « comme moi »,
s'était-elle dit. Puis, en regardant les convives
de la vieille dame s'était encore dit : « Elle, elle
entretient les autres. Moi, on m'entretient ! »
Et en finissant sa vodka, qu'elle buvait non pas
glacée, mais toujours après en avoir tiédi le
verre au creux de sa main : « Au moins, moi, je
ne paie pas d'impôts... Mais dieu, que je
m'emmerde, je n'en peux plus. Je voudrais
danser, je voudrais aller sur une plage avec le
beau gosse qui est à sa table mais qui n'est pas
pour moi. » Elle avait beau s'inventer des
désirs, se saouler d'images, regarder avidement
tout ce qu'elle avait voulu, tout ce qu'elle s'était
juré de connaître, ça n'était pas ces images-là
qui venaient. Et maintenant, on dansait. Un
ambassadeur du Mexique, à moins que ce ne fût

d'ailleurs, après avoir demandé la permission à
son amant, l'avait entraînée sur la piste. Elle ne
dansait pas vraiment, mais laissait son corps
bouger, n'obéissant qu'au rythme le plus lent de
la musique. Puis elle ôta la main de son cavalier
de son épaule, esquissa un geste d'excuse et
s'éloigna de la piste. Le violoniste commençait à
faire bramer son violon et lui arrachait, à moins
que ce ne fût son bras fatigué en tremblant, une
tziganerie qu'elle entendait partout, partout
depuis qu'elle était au monde. Mélodie intolérable, car surgissaient alors, avec ces sanglots
musicaux éculés, là des images, des odeurs, des
visages, un visage, un, qu'elle ne se permettait
plus de laisser revenir en surface. Elle se
mordait alors de toutes ses forces l'intérieur de
la joue, et si elle l'avait pu, se serait frappé la
tête : que ces images s'effacent. Alors faute de
mieux, comme une enfant, elle la secouait, sa
tête remuant ses souvenirs, que d'autres plus
autorisés, plus tolérés, remontent et prennent la
place des premiers. Assise de nouveau près de
son amant, elle avait enfin réussi à être plus
calme et elle pouvait même entendre la fin de la
mélodie tandis que le violoniste traversant la
salle pour finir les dernières mesures devant la

table de Madame — « Mais où l'avait-elle déjà vue ? » — de Madame qui lui glisse alors un billet dans la main, tandis que le violoniste, instrument coincé entre la tête et l'épaule, non sans avoir mis son mouchoir dessous, se voûtait un peu plus — inclination de vieux valet ? révérence ? Des fidèles de chez Maxim's prétendaient que Madame, il y avait encore une dizaine d'années, lui collait alors le billet sur le front et qu'elle riait en disant : « Cet homme croit que j'aime cette mélodie. Je la déteste. » Et ce soir, Madame, le violoniste à peine parti, fit un signe à Gérard — c'était très souvent après cette chanson qu'elle se levait, si bien que, lorsque Gérard voulait la table, il priait le violoniste de la jouer plus tôt !

Madame s'excusa auprès de ses amis, prétexta qu'elle partait le lendemain pour le Japon, une visite à une de ses chaînes d'hôtels, les pria de boire encore, un, deux, trois champagnes rosés en pensant à elle. Elle allait rentrer maintenant. Du travail. Des dossiers à revoir... « Mais non, non surtout, qu'on ne bouge pas... » Elle s'attarda pourtant encore un peu, la ligne de valets qui devaient la saluer n'étant pas encore totalement formée.

Il était à peu près vingt-deux heures, l'heure où Jeannette s'absente. Elle a droit à une pause et à une tisane. Et la « grande Russe » qui n'en peut décidément plus ce soir, sort à cet instant-là elle aussi, avec son nain d'amant, et l'assistante de Jeannette lui tend une zibeline. Le nain et ses petits vernis — Dieu qu'il a de petits pieds —, le nain se dresse et elle, « la grande Russe », ou « la pute rousse » comme disent ceux d'ici, plie un rien les genoux, pour qu'il arrive à la lui poser sur les épaules, un rien de guingois. Elle a l'habitude de ce genre de petite impossibilité ! Elle aime ce moment où son cou retrouve le pelage et où son dos et la soie de la robe, qui se colle alors mieux à elle, sont enveloppés de cette chaleur. Et une fois ainsi revêtue, elle reste toujours, un court temps, sans bouger.

Mais le chien, pressé, tire sur sa laisse ; car pisser, pisser sur les souliers du portier, c'est sa joie. Il a l'habitude, le portier, c'est la volupté de la plupart des chiens de ces messieurs-dames. Messieurs-dames qui, alors, ne voient pas, ne veulent pas voir. Seule la main, comme détachée d'eux, tend dans le même mouvement un petit billet plié au portier habitué.

Elle sort, la grande rousse, s'arrête. « Mais ce parfum qui monte d'elle, ce n'est pas son… ? » Tirant son chien qui n'a pas fini son petit pipi, plantant là son nain, elle s'engouffre de nouveau chez Maxim's. Madame, le rituel du pourboire terminé, est dans l'entrée. Tout tremble. On lui a volé sa zibeline et on lui a donné à la place cette peau de lapin aux poches pleines de mouchoirs chiffonnés qui ont déjà servi. A quoi ? Peut-on lui expliquer ?

Alors, le caniche gris de la belle rousse, qui s'était conduit toute la soirée en chien policé des villes, lorsqu'il comprit qu'on le rentrait au pas de course dans cette boîte à odeurs et qu'il allait se retrouver devant cet obèse noir et pelé — il ne supportait tout simplement pas les caniches noirs — sentit la révolte monter en lui et ce pelé, cet obèse quel que soit le sens où il s'était mis, il l'avait eu en plein dans sa mire tout le temps du dîner. D'ailleurs ce noir-là, il l'avait déjà repéré et le tolérait encore moins que tout autre, ce ras-du-cul à qui l'on apportait à manger dans des bols d'argent et pour boire une eau minérale qu'un larbin lui changeait sans cesse. Nourri aux haricots verts frais et au rumsteak, môssieur ! L'odeur de son dîner lui était venue jusqu'aux narines toute la soirée alors que l'autre chipotait pour tout avaler tandis que lui était resté à jeun, n'ayant droit qu'à un repas par jour, sous prétexte que sa maîtresse ne supportait pas que les chiens de ville perdent leur taille. Ah ! il l'avait fine, lui, c'est sûr ; d'une seule main elle l'enlaçait. Facile, à crever de faim comme ça ! Sauf ce soir où elle l'avait gavé : en plus pas de principe !

Mais alors là, non, la soirée a été trop dure. Et puisque les deux femmes commençaient de s'injurier, c'était le moment ou jamais. Il eut encore le temps de se dire, avant de s'élancer : « Cette fois je vais me le faire. »

Et il se jette sur le petit caniche et comme pour mieux le monter, l'enjambe histoire de l'écraser au sol. Alors qu'elle, sa « russe », tire sur sa laisse et que Madame tourne, tourne et les laisses s'emmêlent, et les pierreries en toc des colliers se cassent sur la moquette. Le petit caniche noir geint — il n'a jamais été agressé de sa vie, et surtout, il a des haut-le-cœur, de terribles haut-le-cœur, il ne supporte pas le parfum de l'autre, « mais à quoi on le lave ce crevard ? » alors, cette odeur qui l'a dérangé toute la soirée, elle venait de lui ? Le noir hurle et les femmes s'injurient, ou plutôt non, injurient leur chien respectif, « qu'il gagne ».

Gérard, prévenu alors qu'il était en train d'exécuter un de ses petits ballets ronds-de-jambes, ronds-de-fesses, autour de quelques grands officiels, arrive au pas de charge, son allure de prince compassé laissée au vestiaire. Fier-à-bras, fort en gueule, hors de lui, enfin vrai. « Et merde, alors, et le standing de la maison ? Tout fout le camp avec ces métèques et leurs clebs, et cette manie qu'a la patronne ces derniers temps de faire une exception par-ci par-là, et chacune de venir avec son lécheur. » Et Gérard d'écraser en douce les parties sexuelles des deux chiens, qu'ils se redressent et se séparent ! « Mais c'est pas vrai, elles vont se foutre aussi sur la gueule ces deux-là. Ah ! si le duc voyait cela, heureusement qu'il est mort ! Non décidément, la planète tourne trop vite et tout est trop mêlé ici... Ma retraite ! Ma retraite ! Et une fois, une fois seulement, le dernier soir leur dire merde à tous ces clients-là ! »

Il s'essouffle, le chien gris, il a perdu l'habitude, et l'autre qui ne rend pas les coups, « où est le jeu alors ? » « Et cette chair molle dans sa bouche, et ce chien noir qui dégueule maintenant, de trouille ou quoi ? »

Très vite, chacune des femmes s'est défaite, en le laissant glisser à terre, du manteau honni. Et Jeannette, remontée en courant des sous-sols au bruit de la bagarre, les ramasse, les caresse tout en rendant à chacune sa pelisse, tandis que, dans le même temps, elle attire le caniche noir avec un quart de sucre. Elle sait qu'il irait au bout du monde pour un sucre ou un morceau de chocolat. Et puis, c'est un peu son chouchou. Et là, il a l'air malade et tout chiffonné, et aussi Madame, agrippée à la laisse, est obligée de le suivre et d'abandonner le combat, Jeannette, alors, lui murmure : « Mais voyons, votre manteau est bien plus beau. Mon assistante est une imbécile, il est impossible de se tromper quand on connaît le vrai du faux. Même un enfant n'aurait pas commis cette erreur-là. » « Le vrai du faux ! » Madame se redresse : celui de l'autre est faux ! elle aurait dû s'en douter !

Quant à Gérard, tout sourire crispé dehors, le bras droit en demi-cercle à la hauteur des épaules de la belle rousse, il la pousse, sans la toucher, vers la porte, une lueur de meurtre dans l'œil. Il fixe le groom, qu'il se grouille d'ouvrir, « Bon dieu de fils de putain de merde ! » Elle s'approche de la sortie, le manteau jeté sur les épaules, elle rit. Détendue. Elle a foutu la pagaille chez Maxim's, et ce n'est pas pour lui déplaire. De plus son chien a donné une trempe colossale au petit obèse, et elle aime bien que son chien se batte. Mais à Paris, constamment surveillé, il n'en a plus souvent l'occasion.

D'un coup sec, avec pourtant un sourire imperceptible, elle salue Madame qui répond du même mouvement de tête, avec, elle aussi, une ébauche de sourire aux lèvres : insensé, cette diablesse rousse lui plaît ! Et en quelle langue, diable, a-t-elle juré tout à l'heure ? Et Madame, qui ne l'a jamais fait, laisse son chauffeur interloqué planté sur le trottoir, marche quelques instants dans la rue, zibelinée de nouveau, le visage un peu penché vers le col, heureuse d'avoir retrouvé son manteau. Et avec toujours, lorsqu'elle est énervée, cette curieuse façon de taper plus son pied droit comme pour l'enfoncer dans le sol, et de lutter ainsi contre un grand vent. Son petit caniche, lui, boitille et s'ébroue : il n'arrive pas à se défaire de l'odeur puante de l'autre, « ma parole, ce caniche sentait la pute ! » se dit-il, lui, le timoré qui n'a jamais connu l'amour mais il sait ce mot-là, Madame le dit si souvent. « Tous mes chiens sont vierges, je le veux ainsi », proclame-t-elle d'ailleurs.

Quant à la belle rousse, elle court dans la nuit, manteau ouvert. Elle a détaché son chien, ils font la course. Son nain d'amant, assis à l'arrière de la voiture, la fait suivre, portière entrouverte. Madame s'arrête et les regarde, et Madame, confite en conventions, choquée, certes, regarde et admire cette magnifique fille qui court pieds nus place de la Concorde, avec, elle aussi, comme une curieuse façon de mordre plus le sol avec son pied droit qu'avec le gauche.

Elle court et fait ainsi tout le tour au plus large de l'obélisque pour revenir vers sa voiture. Et après avoir remis ses escarpins, non sans s'être, avec beaucoup, beaucoup de charme et en sautillant, nettoyé longuement les dessous de pieds, d'un grand moulinet de ses deux bras, elle fait « au revoir » à Madame, à Madame qui agite doucement sa main gantée de rose et qui lui sourit. Cette gaillarde a un charme animal qui plaît décidément à Madame au doux de cette nuit-là. « Mais comment s'appelle-t-elle ?

— Mina, Madame, et ici on ajoute le nom de Son Excellence l'ambassadeur de... », murmure le chauffeur.

*
* *

Le lendemain matin, chacune reçut de l'autre un nouveau collier empierré pour son chien. Les deux colis venaient de la même maison. Identiques. Si bien que chacune, afin de ne pas vexer l'autre, ne fit jamais porter le nouveau collier à son chien.

Et le soir même, tandis que Madame dînait, seule, elle avait décommandé les deux couples prévus, elle fit porter un petit mot à la table de la rousse et de son nain d'ambassadeur et amant, les priant de venir se joindre à elle. Confus, affolé — il n'avait pas été présenté —, le nain hésitait, mais il n'eut qu'à suivre son amie, qui emmenait, ce qui l'agaça, son verre à demi plein, car vite, très vite, dès l'invitation — elle la guettait —, elle s'était levée, non sans faire glisser la nappe avec sa croupe et, sans se

retourner malgré les bruits divers, se dirigea
vers Madame, et, pourquoi ? l'embrassa tandis
que Madame portait la main à ses joues rouges,
comme pour retenir ou effacer la trace ? Et Mina
déjà parlait, parlait, racontait sa découverte de
Paris, et Madame riait, riait. Et la belle rousse
ordonnait à son nain d'amant d'aller faire
marcher le caniche gris qui menaçait de réatta-
quer le petit noir.

Soulagé de sortir, l'ambassadeur ne dit pas
non et quitta la salle, gêné de cette amitié
soudaine, non sans avoir à voix basse commandé
à Gérard de porter sur sa note la casse qu'avait
provoquée son amie. « Mais non, mais non »,
affirmait Gérard, qui, s'emmêlant un rien dans
son répertoire à formules assura même : « C'est
un honneur pour la maison. » Et le nain,
heureux de sa puissance, marchait maintenant
vite, vite. « Il ne marche pas, il tricote », se
disait la rousse quand elle le voyait ainsi
s'exciter tant soit peu. « Il a compris que j'étais
un grand ambassadeur et un futur premier
ministre », se répétait le nain en se dandinant.
Il marcha même un instant un pied dans le
caniveau et l'autre sur le trottoir, il adorait ça,
enfant, mais se reprit très vite et, plus, s'arrêta,

soudain inquiet. « Mais comment le sait-il ? Y a-t-il eu des fuites ? Mon chauffeur ? »

* * *

Madame écoute, rit, mais le flot de paroles de la belle rousse s'étire, s'amenuise, et de nouveau, sur son visage, cette lassitude que Madame a déjà perçue... Elle sourit pourtant, la belle rousse. Boit trop vite sa vodka dont elle tient toujours le verre au creux de sa main, tandis que Madame agite un fouet de bois dans sa coupe de champagne rosé, que les bulles partent. Elle n'aime le champagne que lorsqu'il est redevenu plat. Elles se taisent maintenant. La rousse est venue se blottir près de Madame sur la même banquette. Mina y pose un instant sa tête et ferme les yeux. « Pourtant, je veux vivre, moi... », dit-elle d'une voix sourde autre que son habituelle voix grave et un rien composée.

Madame n'écoute pas, loin, elle aussi. Madame si méfiante habituellement a soudain envie, là, de baisser la garde et de rester assise à côté de cette femme.

Et puis, et pourquoi ? de sa main droite, la
belle commença de caresser la main de Madame,
enfin ferma sa main sur la sienne, appuyant ses
doigts là où l'artère de Madame, saillante,
battait, battait un rien trop vite. Ni l'une ni
l'autre ne retira sa main. Un long temps.

Maintenant, Madame sourit comme une
enfant, visage ouvert, et guette, par-delà l'orchestre et son rythme cubain du moment,
guette un chant fait de cloches qui se répondent, de cloches et de clochettes qui jouent
comme si des milliers de chèvres éparpillées
dans les montagnes agitaient leur tête vite, puis
lentement, puis vite de nouveau. Comme pour
mieux écouter, elles aussi, les sons venus
d'elles. Madame se penche, plaque son oreille
contre son épaule comme pour mieux contenir
les sons. Peu à peu, les chèvres se rejoignent,
dévalent le lit d'un torrent sec, et Madame
entend parfaitement alors les cailloux rouler et
les myriades de clochettes secouées, et pas une
qui ne dise le même son. C'est si fort que
Madame doit s'écarter de Mina — c'était doux,
pourtant, leurs deux chaleurs l'une contre l'autre — pour poser ses deux mains sur ses
oreilles... Etouffer un peu ces sons, car c'est

vraiment trop fort maintenant. Elle ouvre les yeux, Madame, et regarde autour d'elle : tout le monde doit l'entendre, ce carillon ! Mais non, les autres continuent de dîner et ceux qui dansent, dansent sur une autre musique.

Mina la belle, à présent, est grise et ses narines sont pincées, des milliers de rides saccagent soudain son visage et Madame s'agace de penser : « Elle boit comme un trou. »

Elle a eu beau tenir la main de Madame, Mina, pourtant elle a pu croire ainsi protégée que sa soirée allait pouvoir être calme. Mais non. Toutes les images étaient arrivées, là. Déversées en bloc, et ces mêmes lancinantes histoires que le vieux qui connaissait si bien sa mère avait tenu péniblement, à coup de petits mots chuchotés, à lui dire avant de mourir, lui si usé : « Je te les dis parce que moi parti il faut que quelqu'un les sache et que ça ne soit jamais, jamais oublié. » Ça ne risquait pas ! Même au bout du monde — elle avait essayé — même au-delà de l'ivresse, elle avait aussi essayé. Mais chaque nuit, à cette même heure, revenaient les combats de sa mère Ada II et l'enterrement du soldat, son père. Un rituel qui engluait ses soirs depuis plus de vingt ans maintenant, rituel si présent que parfois ses lèvres bougeaient et qu'elle se les murmurait à mi-voix avec absolument les mêmes mots qu'avait employés le vieux. Et si elle acceptait de le faire, elle en sortait certes cassée, mais comme presque plus calme. Par contre, si elle refusait de laisser revenir dans l'ordre les images et les mots, sa nuit alors devenait par trop intolérable et il n'était pas un alcool qui pût la mettre à terre et la rendre aveugle aux images, sourde aux mots qui lui cognaient aux tempes, au creux du cou, dans l'arrière-gorge, et qui grouillaient jusque dans son sexe.

Ils s'étaient battus dans les montagnes, c'était durant l'hiver 1942. Elle, Ada II, sa mère, avec une mitrailleuse récupérée, avait tenu le monticule qui coupait la sortie. A deux heures du matin, elle avait allumé le feu de repli. Avant l'attaque elle l'avait précisé : « Une demi-heure après le feu, tous à la grotte. Un quart d'heure sera accordé aux retardataires », on partirait aussitôt après, sinon, il serait trop tard pour trouver la passe — à cette saison, la lune est totalement cachée par les montagnes.

Couchés, roulés chacun dans sa couverture, le pain, le fromage, l'huile, l'oignon violet et l'eau partagés, ils se reposent, la bouteille d'eau-de-vie qui aide à commencer les combats, rangée dans son sac à elle.

C'est le calme d'après la bataille. Ils étaient douze, ils sont dix. Ça aurait pu être pire. La chaleur remonte dans les corps, la détente est presque là. Alors l'un raconte... pourtant Ada II, c'est ainsi qu'on l'appelle, nul ne sait pourquoi, Ada II n'aime pas que l'on parle d'une bataille finie. Mais il en est un, nouveau, et il ne veut, ne peut pas se taire. Il dit, rapide, fier : « Tu sais, il se découpait comme une ombre chinoise, il cherchait quelque chose ou quelqu'un, c'est sûr, il était en plein dans ma cible. Incroyable. Mais si, tu le connais, c'était le jeune, celui qui, moins peureux que les autres, descendait en civil jusqu'au village. On dit qu'il aimait une femme de chez nous. En tout cas je l'ai eu, dis donc. Clac ! d'une seule balle. » Le vieux, celui qui suivait Ada II depuis le premier jour, celui qui avait su persuader les hommes de l'accepter pour chef, elle, femme et venue d'une autre île, elle que l'on disait — mais que ne disait-on pas — on disait qu'elle passait même au travers du feu. Elle était chef et aucun des hommes ne s'approchait d'elle à plus d'un mètre. Il y avait en elle comme une rigidité, ou plutôt comme une non-vie qui faisait peur, et cette malédiction dont certains, peu, osaient parler... Mais une chose était sûre, elle était devenue la plus grande guerrière de l'île. Elle était née, disait-on, sans la peur au ventre ; et c'est elle qui savait le mieux égorger au couteau dans toute l'île. Le vieux chercha le regard d'Ada II, mais elle refusa, ne fût-ce qu'un millième de seconde de poser son regard sur le sien.

Seule. Elle se voulait seule.

Elle se leva et les conduisit à la passe. Puis murmura au vieux : « Tu commandes, toi. Vous m'attendez juste avant que l'aube pointe. Après, vous partez. » Il essaya de dire que... Mais elle eut un geste si violent de la main qu'il recula et se tut. Alors elle retourna là où les hommes s'étaient battus tandis qu'elle tenait la crête, coupant tout passage à quelque renfort possible.

Elle le retrouva, calme. Il avait, comme tous les morts jeunes, l'air reposé. Le traîner vers la plaine ? Trop dangereux. Aussi, elle décida de le recouvrir de cailloux blancs. En rampant — cela lui prit des heures — elle descendit jusqu'à un éboulis chercher des pierres lourdes, les remontant sur son bas-ventre en assise sur ses cuisses et, doucement, doucement, arrivée près du corps, les faisait glisser sur lui en prenant bien soin de ne pas faire tomber les graines sauvages et les petits bouts de fromage qu'elle lui avait posés sur la bouche faute de grain de blé et de lait... Si troublée de ne pas avoir de brin de basilic trempé dans du miel pour lui faire les lèvres et les yeux doux et lisses. Puis, le lacet qui tenait sa tresse roulée sous sa résille à grosses mailles noires, elle le prit et en fit trois tours autour du poignet blanc. Le vieux, qui l'avait suivie de loin, incapable de supporter qu'elle courût un tel danger sans être couverte, hochait la tête, et les autres, s'ils l'avaient vu, auraient été bien étonnés et déçus de découvrir que des larmes, beaucoup, coulaient le long des joues du vieux, et qu'il avait beau, de sa main retournée, de sa main lourde s'essuyer, il ne pouvait rien contre elles.

Elle, elle avait le visage lisse, car rien en elle jamais ne cillait. Quand le soldat fut entièrement recouvert, elle ne s'attarda pas. Seulement, elle dressa son visage vers les étoiles : ils étaient, le mort et elle juste sous la Grande Ourse, elle dressa son visage, et tout à coup sa main droite et son poignard, lame nue, fusèrent vers le ciel. Mais le vieux n'entendit pas ce qu'elle dit, car horrifié, sûr des malédictions qu'elle proférait, il avait mis ses mains sur ses oreilles.

Très vite, elle réajusta le poignard dans sa botte droite, ramassa l'arme du mort, agacée que le compagnon, qui l'avait tué ne l'eût pas fait — c'était pourtant un ordre formel, puis se lança à travers la montagne, sautant d'un rocher à l'autre, coupant au plus droit comme elle seule savait. Lorsqu'elle atteignit la passe, on entendait, en bas sur la route de la plaine, les camions des occupants s'approcher, inquiets de n'avoir pas vu rentrer leur patrouille, mais incapables de s'engager dans ces gorges-là avant qu'il fît jour, sachant trop que les rebelles étaient les maîtres là-bas la nuit. Ils arrivaient mais lentement.

Sa natte, lourde tresse dorée qui n'était plus

retenue, lui battait le bas du dos. Elle la rentra brusquement sous sa résille juste avant que ses hommes ne la voient.

Non, pas un soir que ces images-là ne reviennent, images qui en amènent d'autres et encore d'autres, et aussi loin qu'elle aille, la belle rousse, et autant qu'elle boive, et elle peut boire beaucoup, ses nuits sont grosses de toutes ses mémoires mêlées ; alors jamais, jamais elle ne dort la nuit, trop peur du soir et de tout ce qu'il amène. Et elle a beau s'assommer de rires et de boissons, les images arrivent en bon ordre et rien, non, même l'ivresse totale, rien ne peut empêcher leur implacable défilé.

Le jour, elle est longtemps arrivée à faire ce qu'elle veut de ses souvenirs. Elle leur dit « couché » et rien n'émerge. Mais maintenant, les images noires commencent de gagner, insidieuses ; elles arrivent et engluent ses jours bien avant même midi.

* *

Madame, si méfiante avec les femmes « je les connais, j'en suis une », disait-elle lorsqu'elle était d'humeur joyeuse, Madame, si méfiante d'ordinaire, avait trop envie, là, avec cette belle rousse, oui, de baisser un moment sa garde. Elle aimait soudain cette façon qu'avait Mina de toiser son nain d'amant, alors qu'elle se forçait, elle, à être toujours admirative devant les hommes. Celle-là ne se laissait intimider par rien, et elle, la vieille dame qui détestait d'habitude ces insolences-là, était excitée, oui, excitée devant ce comportement, et dès ce premier soir, absentes pour tous, elles parlaient, parlaient...

La belle avait dit : « On m'appelle ici Mina. » Pourquoi « ici » ? Madame n'avait pas demandé. Avait seulement dit : « Eh bien moi, on dit Madame, en tout cas devant moi. Derrière, c'est " la sorcière ". » Et elle riait, riait...

« Mais pourquoi ? — Oh, quand on n'est pas tout à fait comme les autres, c'est comme cela, non ? » « Pas comme les autres »... Mina avait alors un rien cessé de rire.

Mais la soirée était belle, et elles étaient si heureuses de s'être rencontrées que tout pour chacune était plus tolérable. Alors, elles recommencèrent de rire fort, pour rien. Comme ça.

Dès le deuxième soir, Madame l'intégra à son groupe, exigeant qu'elle fût assise près d'elle, bousculant son immuable un homme-une femme. « Tiens, Madame a une nouvelle coqueluche. Bizarre ! une pouliche aussi somptueuse, ça n'est pas dans ses habitudes. Et elle, si soucieuse du qu'en-dira-t-on, alors là ! » Et suivaient, chuchotés, une poubelle de mots déversés... Mais Madame ne voulait rien entendre. Plus, il y eut même, fait inouï — en avaient-ils peur ? étaient-ils jaloux ? — en tout cas il y eut, oui, quelques fidèles qui osèrent lui faire remarquer, croyant bientôt lui plaire, que. et encore que. Madame, magnifique, montra la salle de restaurant où elle les traitait et dit : « Mais je ne vous retiens pas. Toutes les autres tables vous attendent, vous espèrent... » Et, un ton plus haut : « peut-être ». Bien sûr, plus jamais personne ne pipa mot.

Madame se prenait à sourire dès qu'elle regardait Mina et, allez donc savoir pourquoi, elle ne l'aurait pour rien au monde raconté, mais dès qu'elle la regardait, elle, la maquillée, la bijoutée, lui venait, intense, l'odeur des tomates, non pas l'odeur des fruits eux-mêmes, mais celle des deux feuilles vertes collées au

rouge et qui, chauffées au soleil, entêtent tout
un jardin dès onze heures du matin. L'odeur
était si forte ce soir qu'elle frotta même son
pouce contre son index, sûre que l'odeur prise
dans sa peau allait s'exacerber. Mais non.
Pourtant, il la lui fallait, et maintenant, cette
odeur, et aussi les paniers pleins de petites
tomates mal calibrées. Celles que l'on cuisait
des heures, qu'il ne reste plus que l'extrait.
Celles qu'on avait le droit de s'écrabouiller dans
le cou pour se rafraîchir.

*
* *

Elle rit, trop, Mina. Dans la chambre de
Madame, elle passe ses après-midi maintenant.
Elle pousse les piles de journaux, les boîtes de
chocolats, les lettres entassées non ouvertes avec
des numéros de téléphone sans nom, notés en
biais, numéros pour rien. Il fait une chaleur
étouffante, les fleurs pourrissent dans les vases.
Mélange, moiteur de parfum de salle de bains,
de parfum de côtes d'agneau qu'elles mangent

souvent sur une petite table posée près du lit.
Sur la cheminée de Madame, il y a plein de
petites figurines mêlées : bronzes du Louristan,
d'Egypte, de Grèce et au milieu, trois petites
poupées de chiffon hâtivement faites, et aussi
un petit morceau de marbre blanc poli, archi-
poli...

Mina saisit une des poupées de chiffon, et
pourquoi ? — elle qui sait se taire depuis
toujours — dit en riant, mais elle veut le dire
ne serait-ce qu'une fois que là-bas, avant de
venir en France, il lui fallait un homme ; mais
cet homme avait une amie, et alors elle avait
fait faire avec un bout de tissu — mais qu'est-ce
qu'il lui prenait de raconter une chose pareille ?
— une poupée à l'image de la femme haïe. Elle
lui avait même volé un mouchoir, à cette
femme à évincer ! Ah, si elle avait pu avoir un
morceau de sa chemise ! Elle avait tout essayé
mais en vain. Et pourtant, cette poupée, elle
était allée l'enfoncer tête en bas dans le nœud
vide d'un arbre. « Qu'elle s'en aille », et
finalement oui, ça avait marché. Mais pris du
temps, trop de temps. Elle avait failli ne plus
avoir envie du bonhomme après.

Madame riait, riait, puis murmurait en

posant sa main sur l'avant-bras de Mina : « Tu as eu tort. Si tu avais enterré ta poupée à la tête d'une tombe abandonnée, ça aurait marché, et bien plus vite... » Madame riait tellement que Mina pensa qu'elle se moquait d'elle. Elle en avait vu des femmes spécialistes, mais personne, jamais, ne lui avait parlé de cette possibilité-là. Elle voulait seulement rire, Madame !

Pourtant, elle aussi en avait des poupées, mais seulement là, en plein air, sur sa cheminée. Inutiles, décoratives, plutôt. Elles n'avaient jamais servi, c'était évident. « Du folklore, se dit Mina, ici, on adore ça. » N'empêche, Mina, qui se sentait si au chaud là chez Madame qu'elle hésitait chaque soir à retourner chez son amant, se promit bien de fouiller un peu... quand elle le pourrait. Car vivre ainsi dans une maison pleine d'objets, vieux et nouveaux mêlés, l'enchantait. Elle avait l'impression d'être dans une fabuleuse resserre à rêves. C'était si nouveau pour elle, et toute l'enfance qu'elle n'avait pas eu arrivait enfin inventée par pleines bolées. Et Madame, qui s'était toujours rassurée en achetant beaucoup, était heureuse de montrer chacun de ses objets. « Et ça, tu vois, c'est le chiffonnier de Marie-Antoinette ; je l'ai payé », suivait un chiffre astronomique, et sans doute faux. « La duchesse de Windsor le voulait, mais c'est moi qui l'ai enlevé. » Du chiffonnier de Marie-Antoinette, Mina se tapait. Ce qu'elle aimait, c'était ce fouillis d'objets, ces tiroirs débordants de petits paquets mêlés à des boîtes jamais ouvertes. « Vous savez, je suis née très pauvre. » Mais Madame n'écoutait pas, ou plutôt ne voulait pas le savoir, et arrêtait toujours, froide alors, toute ébauche de confidence, qui n'allait pourtant jamais bien loin.

Une fois encore, pourtant, Mina avait dit : « Je voudrais vous parler, vous dire que... », pelotonnée au bas du lit de Madame qui lui avait alors posé la main sur la bouche : « Je vais te dire mon petit, il ne faut jamais, tu m'entends — elle criait presque, Madame —, il ne faut jamais dire ce que l'on veut le plus dire. » Et puis, et elle n'avait eu ce geste pour personne : elle s'était penchée et avait embrassé Mina près de la tempe, et, de son doigt un peu déformé par les rhumatismes elle avait suivi jusque dans ses cheveux une petite veine bleue qui battait, affolée. Et Mina était restée assise près de ce lit, attentive à guetter en elle, la trace du doigt de Madame. Longtemps.

Dès qu'elles se retrouvaient ensemble dans l'appartement, d'abord Madame s'isolait : « Personne, jamais, ne m'a vue me déshabiller », puis elle appelait Mina. Une fois couchée, démaquillée, vieille, belle, elle tapotait le bord de son lit et chantonnait : « Viens, viens près de moi. »

« Vous m'appelez comme on appelle les poussins, disait Mina en riant. — C'est ça, comme les poussins... » Et toutes les deux, ravies d'être stupides, faisaient : « pitt, pitt, pitt ». Et Mina s'asseyait, la tête appuyée près de la main de Madame, tandis que le vieux chien se recroquevillait près du valet de chambre silencieux recouvert de velours où les vêtements de Madame attendaient le lendemain. Et le vieux chien, des heures, grognait, couché sur les escarpins.

*
**

Si elle avait, Ada II, fait attacher un traître de son groupe à la queue d'une mule ? et si, un

fer rougi dans l'anus, la bête avait traîné
l'homme sur les rochers des heures bien longtemps après que ça ne fut plus la peine ? Oui,
elle l'avait fait.

*
* *

Un soir de septembre, l'été se prolongeait
tard cette année-là, en mangeant à Venise du
jambon et des figues fraîches, Madame et Mina
mordaient directement dedans avec la peau et le
lait tandis que les autres travaillaient de la
fourchette et du couteau pour n'en manger que
la chair, Madame avait soudain déclaré que « le
canal puait vraiment trop ! » puis « je vous
emmène tous en croisière dans huit jours, là où
les figues sont fraîches et où elles sont si mûres
que vous aurez à peine à les toucher. Vous
pourrez les happer à même l'arbre ! » Et,
baissant la voix, penchée vers Mina, elle avait
dit encore : « Tu verras — elle la tutoyait
tandis que Mina continuait de la vouvoyer — il
y a là-bas de l'eau glacée qui vous mord la

bouche, des lauriers-roses, des figuiers mêlés et,
à leur pied, des rochers sculptés, des chevaux,
des chariots et des guerriers que personne,
personne ne connaît, sauf moi qui en sais le
chemin. » Et tout son visage riait. L'ex-directeur de l'Opéra porta un toast à cette merveilleuse idée en fixant son regard dans celui de son
amant affolé à l'idée de faire enfin une croisière.
« C'est où ? c'est où ? » minaudait la Colombe
qui avait supplié Madame de l'emmener à
Venise : « J'aime tant la beauté, elle me rend
bonne. » Oui, elle avait dit quelque chose
comme ça ! elle trouvait la formule jolie — elle
n'était pas d'elle, d'ailleurs, et traînait depuis
longtemps déjà. Madame avait haussé les épaules, mais, bien sûr, l'avait invitée. Mais la
Colombe s'ennuyait à Venise. A vrai dire, elle
en voulait à Mina d'être toujours là, et avec
Madame, et à une place privilégiée. Jalouse ?
Oui, car Madame la subjuguait vraiment. Et
elle aussi aurait aimé rire, comme elle entendait
Mina le faire parfois. Mais Madame ne riait pas
avec la Colombe. « Colombe, colombe, murmurait Madame, une colombe noire, oui. » Ce
qui n'était pas vrai non plus, mais Madame n'en
était pas à une férocité gratuite de plus. De

toute façon en ce moment, seule l'amusait, la détendait, lui plaisait Mina.

Madame aujourd'hui s'était beaucoup ennuyée à Venise ; trop bruyante pour elle. Et elle avait eu tout le jour comme un malaise, encerclée par la foule. Et puis elle avait reçu en plein visage, et par deux fois, un de ces faux pigeons imbéciles et aveugles que les Vénitiens vendent aux touristes. Bref, Venise l'irritait depuis toujours aujourd'hui elle voulait le dire, et visiter les monuments la lassait vraiment trop. Et surtout, surtout, l'hôtel qu'elle possédait à Venise n'était pas le plus beau. Impossible d'acheter le Danieli. Elle essayait pourtant, et depuis plus de quarante ans et si elle venait presque chaque année, c'était toujours en caressant l'espoir de finir par l'avoir. Mais elle avait affaire à aussi têtu qu'elle.

Le lendemain, tout le monde rentra à Paris. Madame voulait organiser cette croisière promise. Des années qu'elle n'en avait plus fait.

Cela lui prit des jours, mais l'occupa bien. Elle voulait le plus beau voilier, mais avec les meilleurs moteurs. Après bien des hésitations, elle loua un quatre-mâts fabriqué au Japon, battant pavillon australien, et débaucha l'équipage d'un bateau grec. « Il n'y a qu'eux qui savent faire toutes les cuisines. Les Chinois aussi, mais ils sont trop laids. » Avant de partir, elle fit retapisser de bleu la cabine qui lui était destinée, et de soie grège celle de Mina.

Seraient du voyage : le vieux compositeur, le peintre et sa Colombe, l'ex-directeur de l'Opéra et son jeune compagnon et Mina seule, son ambassadeur d'amant avait un mal de mer si chronique qu'il hésitait même à traverser, yeux ouverts, un pont. Alors, dans son langage corporatif, il avait, dévidant des pomposités, aussi creuses qu'inutiles, expliqué que « des missions secrètes l'empêchaient de participer à…, que ses fonctions exigeaient de lui d'être toujours en contact avec qui vous devinez… » Ce qui enchantait absolument Madame, car cette fois c'était Mina, Mina seule qui lui plaisait et sans son amant. Elle la trouvait bien plus jeune et bien plus drôle sans lui. Et aussi alors elle ne la partageait avec personne. Décidément, rien de ses habitudes et de ses goûts ritualisés jusqu'alors ne tenaient devant cette Mina-là.

Seuls Madame et le capitaine connaissaient le but de cette croisière. Mina ne demandait jamais rien, et cela l'amusait un peu de ne pas savoir où elle allait. Le peintre et sa Colombe pensaient que c'était en Egypte, et suppliaient Madame de le leur confirmer « C'est intolérable de ne pas savoir », disait en riant la Colombe. Elle avait besoin de jalons précis pour vivre et ce secret la perturbait. « Non, non, c'est un secret, je ne peux rien dire », répondait Madame en riant aussi. « Est-ce qu'il y aura beaucoup de soleil », demanda le jeune amant de l'ex-patron de l'Opéra. « Oh oui, terrible : il faudra se couvrir ». Et, lui, ravi se rêva immédiatement nu avec seulement un de ces minuscules slips tenus par une ficelle au milieu de la raie culière, et se détendit, jeune animal déjà saoul de chaleur. Mina avait fait aussi une razzia de maillots de bain, qu'elle avait pris tous d'une pièce, sûre que Madame devait détester les étalages de chair.

Et elle, qui ne posait jamais de question, avait pourtant — pourquoi ? — demandé : « Mais comment connaissez-vous cet endroit où nous allons ?

— Oh ! répliqua Madame, j'y suis allée lorsque, jeune mariée, j'étais étudiante en archéologie. »

Le vieux compositeur, qui en était à sa treizième ou quatorzième coupe de champagne, tressauta un rien. Madame, étudiante en archéologie ? C'était nouveau... Mais les cailles, dont il avait pris et repris, étaient finalement si lourdes, d'autant qu'il avait mangé toute la brioche nappée de foie gras, vraiment gras qui faisait la base du plat — « Quand saurai-je ne plus manger les sauces ? » — qu'il ne se mêla pas à la conversation.

« C'était quand, ça ? » insista la Colombe, dévorée de curiosité. Et Madame continuait vite, un peu trop vite : « C'est même moi qui ai fait là-bas officialiser une découverte... » Alors, bien sûr, les « quoi ? » « comment ? » et les « ah ! » ainsi que les « vraiment ! » fusèrent, et Madame gaie comme tout, raconta comment là-bas — « Mais où ? — Vous le verrez bien, d'ailleurs les deux derniers jours avant d'arriver, vous aurez les yeux bandés » — comment donc, dans les musées, les pierres que l'on disait sacrificielles — « Vous savez, ces pierres de marbre blanc veiné de gris, toujours ovales et creusées d'un sillon qui se termine par un trou », comment donc on savait grâce à ses recherches à elle que ça n'était que « des vasques à faire cailler le lait » ! C'est à ce moment-là que le vieux compositeur se dit : « Elle nous emmène en Crète, c'est sûr. » Et il se souvint d'un dîner, il y avait plus de cinquante ans, chez un archéologue qui s'appelait, s'appelait... quelque chose en « o »... Le nom il ne le savait plus, mais lui revint, clair aux oreilles, le rire de gorge de Madame quand ce vieux maître en archéologie avait montré des dessins de pierres taillées en les disant mycéniennes et sacrificielles.

« Mais alors ? »

Madame, comme confuse soudain d'avoir tant parlé, se tut. Puis elle exagéra de nouveau son agitation, et bien sûr commanda du champagne et encore du champagne... Et le vieux se souvint aussi qu'il avait, plus tard dans des livres de « Caspéro » — ça y était, il s'appelait Caspéro l'archéologue, non Maspéro. Oui, oui il avait lu dans ses livres « que les paysans se servaient maintenant pour cailler le lait de pierres probablement sacrificielles dans l'Antiquité ». C'était donc vrai qu'elle avait participé à l'histoire et que l'archéologue avait pris en compte sa version, agacé mais frappé ! Alors des études d'archéologie, Madame ? Peut-être que

c'était vrai, finalement ? Lorsqu'elle était jeune
mariée, lui, le vieux compositeur était surtout
ami avec le mari et ne se préoccupait pas
vraiment de savoir comment, elle, usait ses
jours...

« Mais alors ? » et inconscient de son geste
tandis qu'il avalait maintenant aussi la caille
que Mina avait laissée intacte dans son
assiette... « Mais alors, Madame, elle serait
Crétoise ? » Et comme il avait vraiment beaucoup bu, il se pencha vers elle et lui murmura :
« *Kalimera Kyria* » (Bonjour Madame) ; elle
répondit, et Mina en même temps : « *Kalimera
Kyrie* » (Bonjour Monsieur) ; et elles éclatèrent
de rire. « Mais alors, vous parlez grec ?
demanda-t-il. — Oh, je l'ai étudié juste un peu
pour mes études », répondit Madame, visage de
nouveau buté. Mina, elle, assura : « J'ai tellement voyagé, moi, et bourlingué, que je sais
dire " bonjour Monsieur " — et elle rejeta la
tête en arrière —, " bonsoir " et " chéri " dans
toutes les langues du monde. » Et chacune des
deux femmes croyant ne pas être vue regarda
l'autre par en dessous.

Ainsi donc c'était bien en grec que chacune
avait injurié son chien lors de leur première

rencontre ? « Je ne m'étais pas trompée, pensa
Mina, mais pourquoi le cache-t-elle ? » « Je ne
m'étais pas trompée », pensa Madame. Aussi
habituées l'une que l'autre à se murer aucune
n'insista, et Mina recommença de dire les petits
riens qui détendaient Madame. Et Madame
recommença de sourire tandis que la petite
veine bleue de sa tempe gauche se calmait peu à
peu.

*   *
   *

Ils embarquèrent à Marseille. Il y eut une
grande fête dès qu'ils furent en mer, mais tout
de suite après Madame s'enferma le plus souvent dans sa cabine, haïssant et le vent et le
pont où elle n'allait que quelques instants,
recouverte d'un châle noir. C'était la première
fois que ses amis lui voyaient porter du noir,
elle qui avant disait toujours : « Quelle horreur, le noir ! j'aurai bien le temps d'en être
entourée. » Mina, le jeune amant et la Colombe
se bronzaient, inertes, yeux clos, doigts écartés,
sparadrap leur tirant les oreilles, que le soleil les

pénètre jusque-là. « On pourrait vous emmener n'importe où pourvu que vous vous fassiez rôtir », marmonnait le peintre qui se sentait prisonnier et arpentait le pont ou bien parlait avec les mains aux marins qui n'aimaient pas être dérangés, excédés d'avoir encore et encore à expliquer la mâture et les moteurs ! Et puis, il s'ennuyait aussi de la petite violoniste, le peintre. Il s'était bien habitué à elle.

Sur le bateau, Madame avait recréé cette même ambiance lourde qui engluait sa vie à Paris, et d'être désœuvrée la rendait encore plus agressive. Ils ne reprenaient semblant de vie, tous, qu'à l'heure de l'apéritif du soir. Douchés, habillés, parfumés, ils se reconnaissaient dans leurs strates habituelles, sauf qu'ici Madame et Mina se gavaient de salade d'oignons violets, les autres trouvaient que cela puait mais ne disaient rien tout haut bien sûr. Ils avaient fait escale en Italie, avaient visité Paestum au pas de course. Madame avait refusé que l'on aille à Pompéi, ce qui pourtant aurait amusé la Colombe : « Il paraît qu'il y a des maisons intactes. » « C'est trop romain et décadent », avait affirmé Madame qui traversait une profonde phase culturelle. Puis ce fut Cythère.

Le vieux compositeur, qui se refusait même à monter sur le pont quand ils étaient à quai et qui n'allait que de sa cabine à la salle à manger avec un arrêt au bar intermédiaire, quand il comprit que le voilier faisait route vers Cythère, il fut sûr que la destination était la Grèce ou la Crète ; content comme un enfant d'avoir deviné, mais perturbé de voir que Madame les menait à ses sources. « Elle est méconnaissable depuis qu'elle s'est prise d'amitié pour cette pouliche, sympathique au demeurant. » Puis il pensa aussi : « C'est drôle, elles s'entendent si bien que, ma parole, elles se mettent à se ressembler. » Et, tout à l'heure, assises dans la salle à manger côte à côte toutes les deux de profil, oui, elles se ressemblaient, même cou, même port de tête, et aussi cette même façon de marcher en appuyant plus le pied droit. Mais, ça, il l'avait remarqué dès Paris.

A Cythère, Madame fut particulièrement odieuse ; exigeant même que l'équipage quitte le bateau : « Aucun ne m'écoute, et ils sentent drôle. » En attendant le nouvel équipage, ils visitèrent l'île. Madame somnolait à l'arrière des voitures de louage et ne faisait que marmonner : « C'est trop vert et trop riche. » Un après-midi pourtant, ils se retrouvèrent tous dans une montagne. L'été avait été pluvieux et il y avait encore plein de jacinthes sauvages et des crocus ; Madame qui boitait souvent, ou qui du moins bougeait mal ses hanches raidies, courait. Ici son pied semblait trouver d'emblée l'appui pour sauter d'un caillou à l'autre.

Mina, elle, avait froid, très froid. Recroque-villée sur elle-même, et comme un de ces enfants abandonnés dont l'image aperçue vous hante longtemps, elle se balançait, accroupie, d'avant en arrière, enlaçant ses genoux de ses bras serrés, et chantonnait, yeux fixés sur les crocus : « Je veux rentrer dans ma maison, je veux rentrer dans ma maison... » Ce qui fit bien rire le peintre qui lui dit : « Mais ma chère, vous et moi sommes des errants et n'avons, Dieu merci, plus de maison... »

Le soir, Madame dîna dans sa cabine sans prévenir les autres. Mina, elle, se fit excuser.

Le nouvel équipage avait l'air parfait et muet. Vers minuit, les moteurs se mirent en marche. Et au matin, quand l'ex-directeur de l'Opéra et son jeune ami montèrent sur le pont... « Tu verras, ça va être une merveille quand les premières îles des Cyclades apparaî-

tront », la mer était nue, vide, et les nuages
n'allaient pas dans le bon sens. D'évidence le
bateau naviguait dans l'autre sens ! Il courut
chez le commandant : « Oui, on rentre. »
Madame avait reçu un télex qui la rappelait à
Paris. « Il y aura seulement une escale technique. »

Le vieux compositeur, qui lui aussi voulait
guetter le moment où la Grèce apparaîtrait avec
l'aube, s'était hissé jusqu'au pont. Lorsqu'il vit
que l'on avait rebroussé chemin dans la nuit, il
eut un gentil sourire et murmura : « Sacrée
Madame, va » et alla se taper son premier
whisky du matin, heureux, si heureux que
Madame, il ne savait pas pourquoi, ait décidé
de ne pas poursuivre la croisière car il ne croyait
bien sûr pas un instant au télex reçu. Il alla
pourtant jusqu'au bureau du capitaine, et, bien
entendu, il n'y avait pas de télex dans le bateau.

***

Paris. Des mois que cela devenait de plus en
plus dur de rire le soir, de faire semblant

d'écouter l'autre, pour Mina. D'entrouvrir la
bouche, de reprendre la phrase de l'homme et
de la lui réoffrir en forme d'interrogation :
« Alors vous voulez dire que... » Pas un qui
résistât alors. Difficile de garder l'œil attentif
et de secouer avec charme sa tête, de garder la
main paume ouverte, comme un enfant, de
marcher, rentrer son ventre, rejeter sa crinière
en arrière, appuyer de son épaule les portes
tournantes, arriver et devenir le pôle du lieu.
Elle avait tant — on disait ici « ramé » — ramé
pour en arriver là... Sortir de ce baraquement,
de ce froid surtout. Jamais la zibeline ne la
réchaufferait assez des froids de ses nuits,
couchée sur le châlit à côté de sa mère de plus en
plus muette, et des marches du matin — cinq,
six kilomètres pour aller dans cette école spé-
ciale et de ses retours à la nuit. Elle ne se
souvenait pas qu'il y ait eu des étés lorsqu'elle
était enfant. Et cette école professionnelle, et ce
qu'avait été sa vie, cet acharnement à s'en sortir
par les hommes. Des images, non, mais des
odeurs d'hommes lui revenaient qu'elle chassait
bouche fermée, narines pincées, pas ça. Elle les
avait haïs, tous. Pourtant, il en avait été de
gentils. Mais de chacun elle s'était servie ;

chacun avait été une enjambée pour s'enfuir de
là-bas.

Privée de tout, elle avait voulu croire que
l'or, les diamants, les restaurants, le luxe la
vengeraient. Elle avait tout cela, aujourd'hui et
plus, son nain d'amant lui proposait même la
respectabilité : il voulait l'épouser.

Quant à sa fille, Ada III, née parce qu'à ce
moment-là, il le fallait, pensionnaire dans une
école chic, elle écrivait, que, elle aussi, voulait
venir en France. Elle vivait en Tchécoslovaquie,
dans une pension réservée aux enfants dont les
parents appartenaient à l'appareil politique.
« L'appareil politique », à ces mots-là elle riait,
Mina, et se souvenait alors des chaussures que
lui faisait le vieux dans des pneus. Semelles et
tiges, il cousait tout à la main. Elle avait les
galoches les plus laides qui soient, mais jamais
une goutte d'eau au pied ! Et ces immondes
baraquements où ils vivaient, offerts par « l'appareil politique » ?

De là-bas sa fille, qui allait avoir dix-huit ans
lui écrivait : « Tu sais, on s'enferme, on écoute
des disques passés en fraude — elles avaient
toutes les deux un mot code — et nous buvons
du Coca avec autre chose dedans, et dansons,

dansons. Et tu sais, maman, nous avons tous juré de quitter ce pays. Il n'y a qu'ailleurs que l'on puisse être artiste. Et nous, enfin quelques-uns, en tout cas MOI — elle écrivait " MOI " en capitales — je veux être artiste et ici c'est impossible. » Lettres touchantes, agaçantes de naïveté, de certitudes et de redondances, et qui toujours finissaient par un « mais je n'aurai pas de visa avant que tu ne reviennes et tu le sais bien… »

Puis étaient arrivées les lettres d'injures, des lettres de petite louve qui voulait s'échapper… où elle accumulait les reproches. Puis le silence. Et enfin une lettre était venue avec seulement : « Maman ». Non, elle n'avait pas bondi le jour même dans l'avion, mais à partir de là, plus rien de ce qu'elle vivait, elle ne le supportait, Mina. Laisser la petite encagée là-bas pour mener, elle, une vie qui ne l'intéressait plus ?

Chaque matin, elle se réveillait lourde de rêves, ajoutés à tous ceux qui la taraudaient, éveillée, sans cesse collés à sa rétine. Et toujours sa mère, Ada II, visage et mains appuyés contre les fenêtres de la baraque aux vitres faites de ce papier goudronné, qu'elles auraient pu changer tout de même ! mais sa mère s'y opposait.

« Non, ils nous ont mis là après le chemin que nous avons fait... Dans ce cloaque... » Une fois, elle avait dit : « Il faut que le monde sache ce qu'ils nous font », mais une fois seulement. Et sa mère, cueillant insolite une brassée de crocus, elle qui ne s'intéressait jamais aux quelques fleurs sauvages qui poussaient autour d'elles. Seul le vieux lorsqu'elle était enfant, lui faisait parfois un petit bouquet de marguerites. Il lui avait montré comment les effeuiller en chantonnant bouche fermée une comptine que tous les autres enfants chantaient, eux, depuis toujours. Sa mère avait cueilli un bouquet de crocus, elle s'en souvenait comme si c'était hier, avait marché. Elle, l'adolescente, la suivait de loin. Et puis Ada II avait déposé le petit bouquet à même l'herbe, et elle souriait comme si, oui, comme si elle l'avait donné à quelqu'un. Plus, elle parlait vite et riait maintenant. Enfin elle s'était couchée le long du bouquet. C'est quelques jours après, non, deux jours après, qu'on l'avait retrouvée pendue — et qu'elle Mina, presque une enfant encore, avait pris le lacet noir de sa tresse et depuis le portait autour du ventre. Afin que ses amants ne lui posent pas de questions auxquelles elle n'aurait de toute façon, pas répondu, elle l'avait tressé avec deux chaînes d'or blanc et jaune, qui se finissaient chacune par un diamant bleu.

**

La lune était à son plus bas. Ils avaient dans un tunnel fait sauter un train de munitions. Ça n'était pas tant l'explosion des charges qu'ils avaient ficelées sur la voie et qui avaient sauté au moment du passage — c'est elle, Ada II, qui avait appuyé sur le détonateur, un berger faisant le guet, et il avait par trois fois, à onze heures, lancé un son strident de sa flûte — qui avait provoqué le massacre, mais bien plutôt l'orage de détonations en chaîne, chapelets de munitions stockées dans ce train, en vrac, mêlées aux soldats et aux chevaux et explosant l'une après l'autre, provoquant chaque fois de nouveau éboulis autour du tunnel. Ce fut un carnage de plus de huit cents hommes et chevaux. Unis à jamais.

Eux, ils n'étaient que cinq. Ils étaient allés se plaquer et s'attacher à des pitons préparés contre

un pan de rocher haut de plus de 150 mètres,
qui se dressait comme un mur lisse et noir, à
peine à 350 mètres du souterrain. Après, ils
s'étaient un à un laissés glisser jusqu'à la mer.
Le berger était redescendu lui aussi dès son
signal donné, vers la plage. Et bien qu'il fît très
noir, ils se mirent tant la mer était calme à
baigner les brebis de l'année — et les occupants
ne virent rien d'anormal dans ce berger et ses
aides qui lavaient leurs moutons sur l'autre
versant où le carnage s'était accompli.

L'ordre était arrivé : se replier, abandonner
les mitrailleuses prises aux autres, se retirer des
cimes imprenables et pourtant prises. Fini. Ils
avaient perdu. Ou alors, comme le disait ce fou
venu les rejoindre, ils avaient été trahis, trahis
par des hommes gros. Oui, il disait « gros »,
lui qui ne vivait depuis des mois en bas que
d'oignons et d'olives. « Des hommes gros assis
autour d'une table à Yalta. Et même qu'il y en
avait un venu d'Angleterre, et même encore
qu'il pissait sous lui ce qu'il buvait, et un
paralytique avec un pot dans sa chaise de
malade. Et un autre, encore bâtard de pope, en
train de pourrir dans sa tête : " Une feuille qui
bouge près de lui et il se met en transes ", à ce

qu'on dit. Un oiseau qui chante pour dire que le soleil arrive, et il le fait abattre. Sûr que c'est un signe noir. »

Ceux-là donc, maîtres des terres où ils n'avaient jamais posé les pieds, avaient décidé que c'était fini. Qu'eux, les vainqueurs, les va-nu-pieds dans la neige... eux, eh bien qu'ils se constituent prisonniers, ou qu'ils essaient de passer les cols ! En tout cas, qu'ils rendent leurs armes ! Parce que sur le papier, leur territoire avait été officiellement donné aux autres, à ceux qu'ils venaient, justement, de tuer un par un pour reconquérir, un à un aussi, leurs cailloux qui avaient toujours été à eux avant que ces hommes-là venus d'ailleurs ne s'en mêlent...

Ada II était accompagnée de quelques fidèles et du vieux qui, lui, habitué des révolutions perdues avait perçu, déjà, la trahison. Aussi, quand l'ordre était venu de descendre des montagnes, de rendre les armes et de se faire connaître aux nouvelles autorités, avait-il parfaitement vu le piège et le lui avait-il fait comprendre... Alors Ada II avait refusé que son groupe rende les armes. Mais un matin, après avoir vu les flammes toute une nuit et tout un jour dans le ciel, ils descendirent au village.

Une odeur de banquet gigantesque montait des ruines de l'église. Il ne restait plus une maison de ce hameau que les deux premières vagues d'occupants avaient épargné ; mais la troisième, celle des « libérateurs », avait inondé d'essence l'église après avoir enfermé les femmes et les fillettes non sans avoir, d'abord, pendu tous les hommes et aussi les garçons capturés avec des filets, car, c'est connu, les enfants courent vite. On a longtemps dit, cru que ceux qui avaient allumé le feu étaient des occupants… Oui, mais aidés aussi par des hommes du pays.

Ada II avait finalement décidé d'abandonner et d'accepter elle aussi la retraite. Et elle, à qui on n'avait jamais rien osé dire mais qui avait entendu tous les murmures, et qui au vrai savait depuis toujours, descendit en plein jour vers le port, courut jusqu'à une maison où elle n'avait jamais été, mais qu'elle connaissait parfaitement et sans frapper entra.

Là contre la cheminée était assis un homme qui avait dû vivre caché plus de vingt-cinq ans dans la montagne, disaient les rares qui parlaient, parce qu'il avait autrefois, un dimanche de fête, égorgé un homme. Il le fallait. C'était son devoir.

Vêtue en homme, quand elle était entrée, il n'avait pas cillé. Et c'est seulement lorsque Ada II avait arraché la résille noire à grosses mailles qui lui enserrait la tête, qu'il avait vu ses cheveux blonds. Quelque chose brilla dans sa main à elle, et en un seul mouvement, elle l'égorgea sans qu'il ébauchât le moindre geste. Il avait pourtant lui aussi un couteau à la ceinture et passait pour un tueur rapide.

Elle referma doucement la porte de bois, alla à l'abreuvoir fixa un long temps son visage dans l'eau, puis remonta une jarre pleine pour laver le seuil par deux fois, que ses propres pas s'effacent et que la maison l'oublie, elle et les malédictions passées. Et de sa botte traça aussi un cercle autour de la maison. Cercle qu'elle ne ferma pas.

Et puis Ada II s'en retourna à la montagne. Là, le vieux la regarda avec comme une interrogation dans le regard. Elle lui répondit par un sourire radieux, et plus tard affirma que « tout était en ordre »… Jamais il ne l'avait vue si calme, si belle. Non, le jour où il l'avait vue se baigner avec le soldat, elle était encore plus belle. « Maintenant, on peut partir », dit-elle. Et habillée pour la première fois en femme, elle alla chercher sa fille, qui allait sur ses deux ans et la mit dans un sac sur son dos. Ni ses hommes ni elle n'allaient bien évidemment rendre leurs fusils ou leurs poignards ; ils abandonnèrent seulement les deux fusils mitrailleurs... trop lourds. A huit, les autres voulaient redescendre au village, à huit, plus le vieux et elle, ils se mirent en route pour tenter de rejoindre un pays qui les accueillerait. Un pays donné aux autres sur la carte par les assis, où on vivait comme eux voulaient vivre, croyaient-ils. C'était la Tchécoslovaquie. Mais il y avait beaucoup, beaucoup de chemin pour arriver là-bas.

Partout dans la montagne des groupes faisaient de même. Certains réinventant, sciemment ou non, le vol des enfants pour en faire des soldats ; et revenir avec eux reconquérir ce pays trahi. Tradition millénaire sur leurs terres que ces vols d'enfants... Ils en avaient à jamais les entrailles déchirées, et la honte, et la rage, pourtant ils refaisaient les mêmes gestes et volaient les enfants de leurs ennemis. A vrai dire et souvent n'importe lesquels ; ceux qu'ils trouvaient dans les villages saccagés. Oui, ils volaient les enfants qui furent pour la plupart regroupés ; Ada II, elle, en tout cas remit les siens contre un bon à un gradé. Elle aussi ? Elle aussi.

Une trentaine de mille furent ainsi emmenés. Il faut le dire. Oui, il faut le dire.

Ada II haïssait les civils qui, lorsqu'ils traversaient les villages, vers la fin, agitaient des drapeaux en signe de remerciement parce qu'ils s'étaient battus eux et elle interdisait que l'on acceptât même les menus cadeaux. « Trop tard, il fallait venir avec nous il y a trois ans. » Elle ne savait pas pardonner et n'avait jamais appris à comprendre les autres, pas plus qu'elle-même d'ailleurs. Elle ne s'était sans doute jamais posé de question sur elle-même — c'est en tout cas ce que disaient certains de ceux qui étaient sous ses ordres.

Mais d'autres racontaient des gestes d'elle devenus chansons...

***

Ada II marchait, marchait. Elle avait dit à sa fille après, longtemps après, que c'était elle, à croupetons dans son dos, qui lui avait gardé vie et chaleur.

Et Mina, lorsqu'elle s'en souvenait, se frottait encore le dos comme courbatue à vie.

*
* *

Ils tombent. Se relèvent. La neige est molle. Et l'on s'y enfonce, s'y enfonce jusqu'au-dessus des genoux. Dessous, c'est la glace. Alors ils s'allongent après s'être recouverts sous leur canadienne de papiers journaux ; ils s'allongent, nuque tendue en arrière, face levée contre terre, et l'un se tenant aux pieds de l'autre, le plus fort tirant à l'avant, ils rampent, traçant ainsi comme un chenal unique. Ne pas s'arrêter, ne jamais s'arrêter. La neige brûle et ensanglante les visages. Les chutes de neige redoublent, les recouvrent eux et leur chenal. Et si la main de l'un lâche le pied de l'autre, ils ne se retrouvent plus. Perdus. La neige qui tombe est si dense qu'elle est noire, le ciel est noir. Tout est noir. Ils ne voient plus. Vont être ensevelis. L'engourdissement est là, quasi total.

Alors Ada II s'est souvenue que, enfant, son troupeau de moutons, s'était sauvé d'une mort comme celle qui les attendait. Là-bas, dans la vallée de son enfance, la neige était venue brutalement et personne n'avait pu aller chercher les bêtes en haut. Impossible de se tracer un chemin dans la montagne recouverte. Après onze jours et onze nuits, quand les hommes avaient pu s'approcher, sûrs qu'il ne resterait plus rien du troupeau, ils avaient retrouvé toutes les bêtes vivantes. Et pourtant il avait neigé onze jours et onze nuits. Oui, dans la crique, neige fondue, on avait retrouvé le troupeau de moutons parfaitement vivant. Ils avaient tourné, tourné, la tête de l'un dans la laine de l'autre, spirales vivantes, tourné, tourné, que la terre sous leurs sabots ne se couvre jamais de neige, gardant ainsi au milieu de cette plaine un endroit chaud, nu et vivant.

Alors Ada II et son groupe, accolés les uns aux autres, pathétique petite ronde, en chantant tout ce qu'ils savaient chanter, avaient pilé, inlassables, la terre sous leurs pieds, que la neige ne les recouvre pas non plus. Au bout de deux jours le brouillard avait disparu et ils avaient pu continuer d'avancer.

Très vite le cuir des chaussures, brûlé par la neige, avait lâché. Pour manger ils avaient assez de blé séché, roulé dans du gras de mouton mêlé à de la neige fondue, ils pouvaient tenir. Mais ce froid, et cette lente marche pour certains pieds nus et yeux brûlés...

Ada II, la petite lui tenait chaud au dos, et elle, elle lui coupait le vent par-devant ; chacune réchauffait la vie de l'autre. Un jour le vieux avant de se coucher et de se creuser un trou dans la neige, et de faire signe aux autres de continuer sans lui, mais elle l'avait fait battre jusqu'à ce qu'il se relève et continue de marcher, avait confectionné comme un auvent avec une peau de chèvre accrochée aux épaules d'Ada II. Il protégeait l'enfant de la neige qui, en rafales, arrivait de face. Ainsi empaquetée, elle la porta sans jamais la sortir de ce carcan-cocon, plus de trois semaines et c'est avec elle sur le dos, engourdie, endormie, qu'elle rampa sur le lac gelé vers le col où l'on pouvait passer de nuit.

Là, les gardes de son pays buvaient, riaient, dormaient, sûrs que ceux des fuyards et des déserteurs qui réussiraient à arriver jusque-là seraient si épuisés que le lac en quelques heures les pétrifierait, et qu'à la fonte des eaux, les cadavres arriveraient sagement empilés en contrebas du poste de police. « Pas besoin de gaspiller des munitions et de sortir la nuit, vraiment. » Ils passèrent à quatre.

Arrivés. Ils furent aussitôt mis à l'écart de la ville dans des baraquements de bois aux fenêtres voilées de toile huilée, avec des châlits pour dormir, et pour se chauffer, un poêle à sciure... D'abord, il leur fut impossible de travailler puis on les autorisa à accomplir des tâches subalternes.

* *
*

Elle y resta quinze ans, Ada II. Elle allait à pied chaque matin à l'usine en ville.

Un matin, les crocus autour du camp étaient sortis, les cyclamens sauvages aussi... On s'enfonçait dans l'herbe, tant la fonte des neiges avait été rapide. On la retrouva pendue le long de la fenêtre, aux vitres toujours faites de la même toile huilée.

Sa fille, celle que les survivants appelaient

Ada III et les autres Mina, allait avoir seize ans.
On l'avait enfin acceptée dans une pension pour
enfants de personnes déplacées. « Personnes
déplacées », c'est ainsi que l'on appelait ici les
gens qui, après s'être battus, avaient tout quitté
pour vivre dans ce pays où leurs idées avaient,
disait-on, gagné.

Quand on la trouva, Ada II, on ferma très
vite le couvercle du cercueil. En effet rien, pas
même la rigidité de la mort ne pouvait effacer
l'éclat de rire qui défigurait son visage. Et ceux
qui vivaient dans le baraquement à côté disaient
qu'elle avait ri, ri une bonne partie de la nuit et
qu'elle ne s'était tue qu'à l'aube. Avant de
clouer le couvercle, le vieux — mais pourquoi
l'appelait-on le « vieux » depuis toujours ? —,
qui était arrivé avec elle, lui avait retiré sa
résille noire, et ses deux tresses blanches
s'étaient déroulées. Sa fille avait pris un des
lacets noirs qui retenait le bout d'une des
nattes. Et le vieux, de ses doigts gourds — il
graissait toutes les machines d'une usine à côté,
il avait été ingénieur, ou plutôt sortait d'une
école supérieure quand il avait pris le maquis
—, le vieux, le sage, de ses doigts gourds, avait
dénatté les tresses et lentement coiffé les

cheveux blancs. Et, parce que la trace de son
rire était par trop intolérable — un rire à faire
se tuer les deux autres qui restaient — il lui
avait fait un rideau opaque de ses cheveux
devant son visage ; cheveux blancs qui gardaient
l'empreinte du tressage. Après, comme en
cachette — mais de qui ? ils étaient oubliés de
tous —, il avait glissé la résille noire à grosses
mailles dans sa poche et, au soir, l'avait enterrée
sous un pied de crocus, avec son foulard noir à
lui, foulard qui lui avait entouré le front durant
tous les combats et qu'il avait toujours gardé
contre sa poitrine après.

Paris, Noël. Des goulées de parfums soudain
plus forts, une foule pressée. Une joie systématique plaquée sur tous les visages. Pourtant
cette année, Madame a moins peur de Noël.
Plus, elle est allée place Vendôme, et pour la
première fois, a presque vraiment regardé les
vitrines : elle cherche un cadeau pour Mina et
cette fois n'achète pas, inconsciente toujours, le

même objet pour la dixième fois, ne va pas au plus lourd. Elle voudrait quelque chose qui lui plaise vraiment. Mais rien de tout ce qui est là, finalement, n'irait à Mina. Et dans ses bijoux à elle ? Longtemps, longtemps Madame avait aimé garder des bijoux chez elle. Elle les caressait beaucoup plus qu'elle ne les portait à vrai dire mais, lorsqu'elle ouvrait ses coffres, elle restait émue comme une enfant et les remuait, les mêlait comme s'ils étaient des fils de soie douce et les soulevait pour qu'ils attrapent la lumière. Mais les bijoux qu'elle avait l'habitude de s'acheter pour s'étonner encore un instant elle-même au moment où elle signait le chèque, ou plutôt pour s'émerveiller du regard du vendeur qu'elle avait longtemps cru admiratif alors qu'il n'était que haine pure, étaient toujours trop lourds, trop gros. D'ailleurs elle ne leur trouvait plus d'éclat, et ils ne lui rappelaient plus rien. Alors, la plupart gisaient depuis longtemps dans des coffres de banque, enveloppés, roulés dans des sacs de daim doublés de soie. Les plus gros en Suisse. Elle avait même oublié l'existence de cette cache-là. De plus, une femme de chambre chassée était partie avec le cahier où était noté le

nom de ses bijoux par poids, carats, ainsi que le
nom des joailliers qui les avaient faits.

Aussi elle ne portait pratiquement plus qu'un
lourd collier moderne de corail, dont chaque
anneau, poli, était cerclé d'une maille d'or trop
épaisse et trop large, mais elle aimait y suspen-
dre sa main. Collier de corail dont les mailles
d'or, pas nettoyées depuis longtemps, étaient
comme soudées au jaune d'œuf et à la poudre
de riz amalgamés. Dans un tiroir, elle gardait
pourtant un énorme solitaire carré, mais il avait
une telle valeur qu'elle le considérait presque
comme un hôtel et le portait pour ce qu'il
était : un outil de travail.

Elle retrouva encore une bague faite d'or
blanc et de diamants. Un monstrueux râtelier
qui lui mangeait le doigt. « Non, pas celle-
là. » Et elle la vit soudain ! « Une bague
d'enrichie », c'est ce que son mari avait dit
lorsqu'il l'avait découverte, elle n'avait pas
voulu en tenir compte alors. Et puis elle se mit
à fouiller, fouiller. Il fallait qu'elle retrouve une
autre bague longtemps oubliée : un petit bouquet tricolore, fait de diamants, de saphirs et de
rubis : « ma bague cocorico »... En vain. Elle
finit par se souvenir : Mais oui, elle l'avait

donnée à un portier qui avait eu un gentil sourire en la regardant et pour autant ne lui avait pas même ouvert la porte ce jour-là !

Elle retrouva encore un tout petit anneau d'or gris et blanc tressé qu'elle avait longtemps porté au petit doigt ; ce serait le cadeau de Mina. Mais se rappela qu'elle lui avait déjà donné presque le même anneau, un jour, à Venise, et remarqua qu'elle avait de plus en plus tendance à se répéter ! Puis se dit que non, ça n'était pas si nouveau !

Alors elle prit, mêlée à ses petits bronzes antiques qui jonchaient la cheminée de sa chambre, une pierre, ou plutôt un éclat de pierre. Une pierre blanche qui avait dû être arrondie, lissée, comme si un poids l'avait cognée et recognée durant des millénaires. Ç'aurait pu être un bout de margelle de puits.

Quand on lui demandait ce que faisait là ce caillou, elle souriait, au lieu de répondre. Une fois, elle l'avait pris dans sa main devant des étrangers, des Japonais qui voulaient lui acheter ses hôtels, sûre qu'elle ne les reverrait jamais, et avait alors murmuré : « C'est une pierre d'eau, une pierre de vie. Ma vie. » Et comme ils comprenaient mal l'anglais, et que d'ailleurs

son anglais à elle était mauvais et qu'ils s'en
foutaient, ils avaient parlé d'autre chose. Elle
avait reposé la pierre et les avait ramenés vers ses
Modigliani, surtout vers le faux — elle le savait
pertinemment, qu'il était faux : mais cela
l'amusait beaucoup d'entendre les « ah » d'ex-
clamation de tous ceux qui ne s'y connaissaient
pas, seulement impressionnés par le nom.

Elle prit donc le petit morceau de marbre
blanc, oui elle l'offrirait à Mina ; qu'il continue
de vivre ailleurs.

Madame sentait que la vie partait d'elle et
c'était bien ainsi. Elle avait encore une chose à
faire, et après, que l'usure arrive et vite. Elle
était même décidée à aider la mort à venir.

Mais soudain, elle hésita à le donner, et
finalement le reposa, non sans l'avoir caressé
comme elle le faisait souvent. Parfois même,
elle le mettait sur son ventre et passait repassait
le doux de ses doigts dessus ; yeux fermés. Puis
le reprit encore une fois, et le glissa dans une
petite pochette de daim. Si, elle le donnerait à
Mina, ce soir au dîner de réveillon. Elle
comprendrait, elle, que c'était un vrai cadeau.

*
* *

Il va être minuit, le cotillon bat son plein. Madame n'a pas beaucoup bu. Mina, elle, a avalé systématiquement verre sur verre, mêlant tout. Elle ne voit plus ceux qui sont autour d'elle. Tout tourne. C'est décidé, elle va rentrer, elle le sait. Elle a fait le vide en elle déjà et se dit : « C'est peut-être cette vieille gâteuse qui va le plus me manquer. » Elle avait aimé ce temps où, près d'elle, elle n'avait plus eu à paraître, à faire semblant. « Je me suis reposée pour la première fois de ma vie. »

Tous les habitués de Madame sont au rendez-vous. Ils s'ennuient, et tous de marmonner : « C'est fini. L'année prochaine, je dirai non. » Et Madame de se promettre : « L'année prochaine, j'annonce que je pars à New York et je m'enferme chez moi. » Il fait froid ce soir, et sans cesse la porte s'ouvre et des goulées d'air glacé viennent pousser vers eux l'air chaud déjà respiré par d'autres.

Mina est engourdie. Elle a quitté ses souliers et, plutôt que de les remettre, refuse de danser. Madame dodeline de la tête, somnole, sursaute, et de temps à autre, vieux réflexe mondain, secoue la tête, écarquille les yeux et se penche vers son voisin, n'entend rien de ce qu'il dit, prend un air intéressé et sourit même. Mais l'engourdissement revient. Il faut qu'elle fasse quelque chose, sinon elle va tomber...

Elle regarde Mina, attend un signe d'amitié, un sourire, un vrai. Mais Mina est sombre. Cette nuit est une des plus dures qu'elle ait eu à supporter, elle n'en peut plus. L'odeur des baraquements est là, avec cette misère gluante et l'odeur de soupe froide ajoutée à celle des vêtement humides séchés, remouillés, séchés encore — ce soir, elle n'ose plus rien toucher, l'odeur envahit tout autour d'elle. Le regard de sa mère, qu'il avait fallu recouvrir de ses cheveux, la fixe. Tout à l'heure, elle a eu une hallucination ; elle était là-bas, derrière l'orchestre et la regardait. Et elle a, oui, craché, Ada II. Craché vers la table de Mina. Même que Mina a dû s'essuyer la joue.

Il faut que Madame fasse quelque chose. Gavés, ils le sont. Alors, elle commande les cigares. Ça n'est pas la préposée habituelle qui se présente : « Qui es-tu, toi ? » Passé minuit, Madame tutoie tous les jeunes. « Adeline, Madame, la nièce de Jeannette. Mais vous m'avez déjà vue... » La petite est du Midi et elle adore bavarder. Et c'est vrai que Madame et ses pourboires, elle les connaît, elle s'est même rudement battue pour être celle qui apporterait les cigares à cette table-là ! « Aline, dis-tu ? — Non, Adeline, Madame. »

C'est alors que Mina se lève. Et si, tout à coup, là, elle disait qui elle est, et surtout si une fois, une fois seulement, elle osait dire sa mère, la guerrière, l'héroïne qui s'était tuée parce que maudite, et que contre une malédiction on ne peut rien. Et que, elle aussi, Mina, elle est maudite, et sa fille et ses moins de vingt ans, maudite à son tour.

Elle réussit pourtant à s'asseoir de nouveau, la belle rousse, coupe un cigare, fait basculer ses cheveux devant son visage, éclate de son rire le plus hennissant, celui qui subjugue autant qu'il terrorise. « Mais qu'est-ce qui me prend ? Je joue à quoi ? A me faire peur ? A ce que tout capote, et à jamais ? A jamais, c'est fait, naufragée, je suis une naufragée. »

Elle se jette un verre de champagne au

visage. Elle se méprise. « Et puis quoi encore ?
Larmoyer sur moi-même ? Ah ! non, ma belle,
pas ça. » Mais hurler, hurler, oui, une fois, Ada
II, la faire exister, là, au milieu de toutes ces
dorures et de ces velours qui, elle le sait si bien,
Mina, sentent toujours, toujours la vieille sueur
et la pisse. Oh, comme elle le voudrait !

« Adeline, dis-tu ? » Elle aussi tutoyait la
petite marchande. « Eh bien moi, je m'appelle
Ada III. » Et alors elle grimpa sur la table.
« Ecoutez-moi, bouseux friqués : ma mère, ma
mère s'appelait Ada II. Elle est née d'Ada I. Elle
avait quinze ans, Ada I, et elle a dû, oui, elle a
dû, il le fallait, déposer un nœud de serpents
sur le seuil d'une maison. Et c'est ma mère, Ada
II un nouveau-né — elle sanglotait Mina — qui
a reçu la malédiction. Encerclée. Emprisonnée,
par deux cercles fermés tracés au sol. Et depuis
— écoutez-moi, vous devez m'entendre, tous
—, chez nous, les femmes ont les pis qui font
du lait noir. Oui, du lait noir. Maudites, toutes
les Ada sont maudites ! » Elle sanglotait si fort,
Mina, que maintenant on ne comprenait plus ce
qu'elle disait.

Madame s'était dressée, et d'abord, elle avait
essayé — mais elle tremblait, tremblait trop —

essayé, oui, de s'enfuir. Mais les autres, à sa table, ne bougeaient pas, un rien choqués de la violence de cette Mina ; ils s'étaient tous un peu rejetés en arrière, ils écoutaient, atrocement gênés que ce somptueux animal ose parler ici, dans un lieu si civilisé, de malédiction et de lait noir. Du lait noir ! Mais ils n'étaient pas bouleversés.

Est-ce que la voix de Mina avait porté ? Oui, car toute la salle les fixait maintenant et l'orchestre avait beau jouer un air entraînant, les couples sur la piste s'étaient tous immobilisés. « Elle est saoule ou quoi ? — Non, elle n'en a pas l'air. »

Madame a réussi à se dresser, et, soucieuse soudain de la bonne tenue de sa table ? gifle à toute volée Mina la belle. « Tais-toi, maudite, tu mens. » Et d'un petit sac de daim marron, sort un morceau de marbre blanc et en martèle le visage de Mina qui, hébétée, se laisse frapper et lacérer. Puis, voûtée, pauvre petite vieille, le visage soudain menu, lèvres rentrées, elle se sauve, Madame, et court, court. Son chauffeur qui croyait avoir le temps de dîner avec des amis n'est pas là. Elle court, court vers sa maison aux quatre-vingts fenêtres, et tombe et se relève.

Elle a perdu ses escarpins, mal faits pour
marcher. Quelques fêtards se souviennent de
cette vieille échevelée, qui hurlait des impréca-
tions dans une langue qu'ils ne comprenaient
pas. Sur les Champs-Elysées, un portier d'un de
ses hôtels la reconnut et, vite, la fait entrer dans
le hall, tandis qu'un inspecteur qui, lui, ne la
reconnaît pas veut la chasser : « Pas de sorcière
ici ! » Mais le petit groom insiste, il en est sûr,
c'est Madame, Madame malade, mais Madame,
voyons ! L'inspecteur la fait enfin reconduire
jusque chez elle, chez elle où, seule dans sa
chambre, elle casse, brise tout, hurlant :
« Non, non, pas ça » et s'agrippant à sa femme
de chambre, répète, obsédée : « Ça n'est pas
vrai, hein ? Elle a menti pour les serpents,
jurez-moi qu'elle a menti. Je vous donnerai ce
que vous voulez, mais jurez-moi qu'elle a
menti. » Et la femme de chambre qui ne l'a
jamais vue aussi folle — « eh, dis donc, elle n'a
même pas l'air saoule » — jure, que non, ça
n'est pas vrai pour les serpents, elle le jure, et ça
n'est pas pour de l'argent, mais la terreur de
Madame lui fait trop mal. Madame ne cessa de
crier que lorsque le docteur de l'hôpital américain, appelé, lui eut fait une piqûre. Et, tandis

qu'elle dormait enfin, par deux fois elle cria encore : « Je n'ai pas fait une fille, moi ! » Mais qu'est-ce qu'elle voulait dire ? « Bien sûr que non, qu'elle n'en a pas fait de fille, se dit à voix basse la femme de chambre, puisqu'elle est vierge ! » Son mariage blanc avec Monsieur, tous les domestiques se le racontaient.

Des jours Madame ne sortit pas de chez elle et ne dessaoula pas. Elle se faisait apporter des sommes d'argent de plus en plus grosses et gavait ses gardes du corps.

Souvent, avant que la nuit arrive, elle valsait, valsait sur un air qu'elle croyait encore savoir et qu'elle chantait en elle ; et les tableaux qui bordaient les murs n'étaient plus qu'une longue tracée de couleurs. Elle valsait, valsait, tandis que sa robe du soir bâillait de plus en plus : en manquait plus de deux mains dans le dos pour qu'elle se ferme, tandis que le rouge de ses lèvres coulait, comme l'eau de pluie après un orage sur des chemins de terre. Le rouge de sa bouche, au dentier oublié, le rouge sillonnait alors toutes les ravines du bas de son visage et de son cou. Elle valsait, valsait sur un air qu'elle était seule à savoir depuis très longtemps et qu'elle se chantait au-dedans de sa tête. Tandis

que l'urine laissait des traînées sombres sur les
tapis de Perse.

*
* *

Mina. Des mois que ses matins étaient lourds
d'anciens rêves, ou plutôt de rêves qu'elle avait
oblitérés durant près de vingt ans. Et là, tous
revenus, acceptés, et elle si calme, enfin. Le
vieux, Ada II, les cabanes, le champ, les
vendanges.

Le premier, ou plutôt les premiers des
soldats... Elle était une enfant. Ils surveillaient
les ouvriers venus du camp. Elle ne s'était pas
débattue. Inerte. Avait tout concentré sur son
vagin. Et tandis qu'ils la labouraient chacun
leur tour, et que son silence finissait par faire
taire leur rire, elle mettait toute sa force — ses
dents grinçaient — à ce que son vagin soit
serpent : « Qu'il devienne cloaque, qu'ils en
crèvent. Maudite comme je suis, ça va déteindre. » Et cela l'avait parfaitement aidée à les
supporter. Tous.

Litanie noire. Elle marche dans la rue, Mina,

et ses pas scandent une mélopée dont elle sait chaque strophe. Cela commence toujours ainsi : « On disait, mais que ne disait-on pas... » Avant, elle enfonçait son pied droit comme pour empêcher de laisser venir la suite. Maintenant, elle accepte, plus, s'en délecte.

On disait, mais que ne disait-on pas, dans la montagne, ses amis chantaient le courage, d'autres la cruauté, d'Ada II.

On disait, mais que ne disait-on pas... qu'elle était née, elle, Mina, de cette femme guerrière et d'un vieillard qu'elle avait égorgé. On disait, mais que ne disait-on pas... qu'elle était née, Mina, d'un soldat occupant et que sa mère l'avait fait massacrer. Là, Mina enfonçait ses mains, poings serrés, au plus creux de ses poches.

On disait, mais que ne disait-on pas... A vrai dire, elle ne savait que peu, très peu de choses, Mina, apprises par bribes auprès des hommes qui étaient arrivés avec sa mère. Et sa mère ? sa mère ne lui parlait que peu et seulement pour des choses de la vie immédiate. Et puis elle avait choisi de se tuer. Avant, elle allait en ville faire des ménages dans les ministères et les usines, elle faisait pourtant des démarches, que

sa fille ait droit à l'école, à la pension. Elle
voulait qu'elle sorte de ce baraquement, elle,
c'est tout ce qu'elle voulait : que Mina sorte de
là. D'ailleurs elle s'était tuée quelques jours
après que la lettre qui autorisait Mina à aller
dans cette école fut arrivée.

Et, ce soir, tandis qu'elle marche dans Paris,
un souvenir qu'elle a oblitéré jusqu'à aujour-
d'hui surgit. Elles sont dans la cabane, sa mère
et elle ; sa mère lui tend une assiette et se
recroqueville, isolée, petit tas de chiffons près
du poêle, qu'il soit chaud ou froid. Toujours,
elle faisait ainsi, et non, jamais, jamais elle
n'avait vu sa mère partager un repas avec
quelqu'un d'autre.

Elle l'avait raconté une fois, des années de
cela, à un des vieux rescapés. Il avait hoché la
tête, le vieux, et affirmé qu'il ne l'avait jamais
remarqué. Et puis quelques semaines plus tard,
sa mère était déjà morte, pesant ses mots,
comme laissant les images venir rien que pour
lui, et lui en donnant quelques instants, il lui
avait marmonné, le vieux : « Tu as raison. Elle
prenait toujours ses repas seule, elle s'éloignait
de nous dans les montagnes. Sauf une fois, je
l'ai vue à la mer — c'était un 15 août sur la

plage. Je l'ai vue près d'un feu, elle cuisait un quartier de viande, je m'en souviens à l'odeur, elle était... — il hésita — avec un homme, elle lui en tendait des morceaux, et elle mangeait en même temps que lui. — Qui c'était l'homme ? — Je ne sais plus, mon petit. Et puis, elle nous avait interdit de la regarder quand elle allait à la mer. Et tu sais, ta mère, ça n'était pas quelqu'un à qui on n'obéissait pas. » Et il avait un rien souri, le vieux, et même débité quelques jurons comme pour se laver de toutes ses obéissances passées.

Soudain, Mina court vers une cabine téléphonique, elle ne supporte plus ce silence. Elle a écrit à Madame qui n'a jamais répondu. Elle a composé le numéro. Elle entend la sonnerie. Elle sait Madame dans son boudoir, seule, c'est dimanche. Elle va décrocher. Mais le téléphone continue de sonner. « Elle est dans l'office. Je laisse encore sonner dix fois. » Mais personne ne vient. Et Mina recommence de marcher seule dans Paris. « Pourquoi est-ce que je ne vais pas sonner chez elle ? » « Tu sais, ta mère, ça n'était pas quelqu'un à qui on n'obéissait pas. » Madame, ça n'était pas une femme chez qui on allait sans en avoir été prié, et elle l'avait choquée le soir de Noël.

Mais qu'est-ce qui lui avait pris de tout crier ainsi ? Pourtant, elle ne le regrettait pas.

*
* *

Madame, bien qu'elle ait tant aimé répéter que son appartement faisait plus de mille mètres carrés au sol — elle allait parfois même jusqu'à dix mille... « Elle compte tout en anciens francs », disait alors son chauffeur —, était prise de vertige dès qu'elle se tenait dans un de ses salons. Et depuis Noël, souvent ne vivait plus que dans ce qui avait été un boudoir. Là, volets fermés en permanence, se lovait sur un canapé ou à terre. Là, elle était plus heureuse, car, si elle étendait les bras, elle pouvait presque toucher les murs, enfin rassurés par la petitesse du lieu.

A vrai dire, elle avait toute sa vie eu peur de la taille de ses maisons. Des heures, des jours, elle regardait les rais de lumière sortis des volets et suivait le jeu des poussières dans les faisceaux, tandis qu'elle dodelinait de la tête et chantonnait bouche fermée.

Parfois, elle prend peur, Madame, et se dresse, hagarde, son chien dans les bras. Elle court dans l'immense escalier de marbre, vers le garde qui est au bas de l'escalier, assis vingt-quatre heures sur vingt-quatre, dans un renfon-cement. « Gardien, vous m'avez volé mon chien. — Mais, Madame, il est dans vos bras. — Pas celui-là, l'autre, j'en ai trois. » Et elle remonte, plus calme, et touche ses lèvres qui ne sont plus collées : elle a parlé à quelqu'un un instant.

***

Ada II, ses hommes avaient remarqué que plus jamais elle ne regardait le ciel. Le vieux disait que c'était depuis la nuit où ils avaient exterminé toute une patrouille et qu'elle avait tenu la passe seule. La nuit où le jeune Allemand avait été tué.

C'est vrai, plus jamais, jamais depuis, elle n'avait regardé le ciel. Pourtant, au début des maquis, on l'appelait « le faucon », car comme lui, elle pouvait fixer le soleil sans ciller. Elle s'y était tant exercée, enfant, vers ses trois ou quatre ans, c'est à ce moment-là qu'elle avait décidé de ne baisser les yeux devant personne, et avait compris que si elle le pouvait devant le soleil, elle le pourrait devant tout humain. Dès qu'elle avait perçu que tous la fuyaient, elle s'était forcée à descendre une fois la semaine au village et à attraper le regard d'un adulte n'importe lequel jusqu'à ce qu'il baisse, lui, les yeux.

On disait, mais que ne disait-on pas, on disait que dans l'île où elle avait grandi, elle avait vécu dans une maison de pierre, seule. Qu'une vieille chaque jour lui posait sur le seuil une assiette de haricots, du pain, du fromage et de l'eau, tout en se signant, et que jamais elle ne lui avait adressé la parole.

Et on disait, mais que ne disait-on pas, qu'elle était née, Ada II, d'un frère et d'une sœur qui s'étaient aimés, et qu'ils s'étaient suicidés en se jetant ensemble, liés par une tresse de crin dans la grotte de Zeus.

On disait, mais que ne disait-on pas, que sa mère s'était enterrée avec son amant que son frère avait assassiné. Que son troupeau avait alors refusé de descendre de la montagne et que, sans eau, tous les moutons et toutes les chèvres étaient morts, serrés autour du double tombeau de cailloux.

On disait, mais que ne disait-on pas, qu'elle avait, nouveau-né, reçu une malédiction qui ne lui était pas adressée, mais qu'elle devait la porter, la subir...

On disait, mais que ne disait-on pas, qu'elle avait dressé des chiens et des loups, et qu'à la nuit, dans les villages ils massacraient ceux qu'elle leur disait de massacrer.

On disait, mais que ne disait-on pas... En tout cas, lorsque le vieux était là, il avait une façon à lui de regarder celui qui parlait, qui le faisait se taire, et parfois il murmurait : « Vous devriez tous vous taire, tous... devant elle. »

On disait, mais que ne disait-on pas, alors qu'on ne savait rien d'elle, même Ada II — était-ce un nom de guerre ? Etait-ce son nom ? Mais alors pourquoi II ? Non, personne n savait pourquoi on l'appelait ainsi sauf peut-être le vieux. Le vieux qui était le seul à la tutoyer et qui, parfois même, lorsque le chemin était très dur ou que le combat avait été par trop sauvage,

parfois, oui, lui effleurait la main de la sienne.
Alors elle s'arrêtait, un instant, et lui souriait.
Oui, peut-être le vieux...

*
* *

Depuis qu'elle avait, le soir du réveillon, tout
hurlé, elle avait, Mina — et c'était nouveau
pour elle — fichée au milieu des yeux, une
montagne qu'elle ne connaissait pas, mais le
vieux la lui avait tant racontée qu'elle en savait
tout : et comment, eux, survivants, avaient
marché des jours et des jours, et aussi comment
accotés les uns aux autres, ils avaient, en rond,
pilé la neige, qu'elle ne les ensevelisse pas.
Comment, elle, chauffait le dos de sa mère, et
comment encore sa mère lui faisait, à elle, un
paravent de son corps. Et la neige était tombée
si gelée qu'ils en avaient eu tous le visage coupé,
à jamais.

Cette montagne, elle, envahissait toute sa
vie ; elle la savait, y posait des chemins des
vallées, des lacs. Il fallait qu'elle y aille.

Elle vivait, elle, marchant déjà sur cette montagne.

Bien sûr qu'il lui arrivait de plus en plus souvent de penser à ce que Madame avait dit : « Que la petite vienne, et je lui laisserai tout. » Mais ça c'était avant Noël. Bien sûr, que toute une partie d'elle s'excitait encore un peu à cette idée. Mais s'en aller marcher là-bas, passer le col devenait une obsession : il fallait qu'elle y aille vite.

*   *
 *

Ce soir c'est Carnaval. D'habitude, Madame est à New York. Mais elle n'a pas quitté son appartement depuis Noël cette année. Elle semble plus calme, ce soir, et sa table est de nouveau retenue chez Maxim's. Elle a même fait porter des invitations accompagnées, pour les hommes, de cravates et de pochettes, pour les femmes, de loups de soie et de parfums. Elle a envoyé ainsi une quarantaine d'invitations, mais pas à Mina. Elle a discuté longuement par téléphone du menu avec Gérard et, plaisir

suprême, a refusé tout ce qu'il lui proposait, ce
qui fait dire au maître d'hôtel : « Tiens !
Madame va mieux ! » ; elle a exigé pour tous
son dessert favori — de toute façon les invités
de Madame mangent toujours comme elle ; elle
n'a jamais supporté de voir des mets disparates
dans les assiettes de ses invités elle trouve cela
laid ! Son dessert favori ? de la mousse de fraises
des bois posée sur une corolle de pâte brisée.
« Elles viendront du Cap, Madame, car pour
quatre-vingts personnes... — Non, je ne veux
pas, vous le savez bien, que les fraises que je
mange soient cueillies par des Noirs. Vous
cherchez à me contrarier ? Débrouillez-vous.
Gardez toutes les françaises pour ma table. Au
Japon ou en Amérique, ils m'en servent pour
cent cinquante quand j'en demande, sans m'en-
nuyer comme vous ! » Et comme Gérard, le soir
de Noël, à cause du scandale et de la fuite de
Madame, n'avait pas eu sa liasse habituelle,
alors que, le Noël précédent, il avait reçu plus
d'un million de francs (ancien), il se contente de
dire : « Que Madame compte sur moi » et bien
sûr il commande des fraises des bois du Cap,
puis lui téléphone : « Madame va être heureuse, nous avons pu lui faire plaisir. Nous

aurons ce soir des fraises des bois de chez nous. » — C'est bien, mon petit Gérard, merci, mais attention, je ne veux pas que vous en donniez à Rubinstein, il prend toujours les mêmes desserts que moi, ça fait trente ans que ça dure, merde à la fin ! — Non, Madame — il était prêt à tout, Gérard —, maître Rubinstein n'en aura pas. — Vous me le promettez, Gérard ? Et la fille d'Onassis, vous savez, celle qui chausse du 47, non plus ? — Non plus, Madame. — Bien, vous êtes gentil mon petit Gérard, je ne vous oublierai pas. Je serai là à huit heures. — Madame, que Madame me permette mais ça serait mieux, afin que Madame ne s'impatiente pas, que Madame vienne un peu plus tard. — Non, Gérard, c'est moi qui décide de l'heure à laquelle je dîne. — Bien, Madame, certainement, Madame »...

Elle a fait retenir chez Drouant aussi, Madame ! Une table pour quinze personnes, et a envoyé d'autres invitations, mais cette fois sans cadeau d'accompagnement.

Vingt heures, vingt et une heures, une robe couleur de Sienne est posée sur un fauteuil. Toutou la regarde, hanté par la peur de ne pas être emmené.

Madame, elle, est en robe de chambre, appuyée à une des fenêtres. Elle suit les tracés de lumière sur l'autoroute au loin. Les tours sont illuminées et Madame mélange tout, se croit à New York, décroche son téléphone et parle anglais. Le garde qui regardait la télévision s'agace et raccroche.

Seule, elle est seule. Ses mains, belles, appuyées sur les vitres, elle souffle et sur la buée, de son doigt, trace « Mina... Mina ». Puis, de la paume de la main, efface les signes, et sur un autre carreau écrit encore : serp..., mais de son poing brise le carreau. Il fait froid.

Vingt-deux heures. Elle sait qu'elle ne sortira pas ce soir. Il faudrait qu'elle fasse prévenir le chauffeur et ses invités. Trop tard, ils sont tous dans les restaurants maintenant, et Madame, dans son office, assise à terre, rit, rit, en imaginant leur tête et surtout, surtout leur terreur à l'idée qu'on va leur présenter la note. Et elle rit, elle rit, Madame, puis, sanglote

*
* *

Aujourd'hui Madame dort, avec dans sa main le petit morceau de marbre blanc poli. Lorsqu'elle se réveille, elle le glisse dans la petite poche de daim marron et envoie son chauffeur le porter chez Mina. Mina, qu'elle n'a pas revue depuis le réveillon de Noël.

Elle rentre, Mina, ses joues sont rouges. Elle a fait courir son chien au Bois. Dans l'entrée de l'appartement de fonction de son amant, son courrier est toujours à part posé sur un petit plateau d'argent près d'une bougie parfumée qui brûle en permanence. Décidément, « toutes les entrées chic de Paris sentent cette odeur cette année », pense-t-elle chaque fois qu'elle ouvre sa porte. Quelques factures qu'elle n'ouvre pas, des revues qu'elle ne regarde plus. Toujours rien de sa fille. Aujourd'hui, un paquet : une pochette de daim marron avec, poli et lisse, le morceau de marbre qu'elle avait vu sur la cheminée de Madame. Elle fouille, retourne le petit sac, trie mieux les lettres,

sonne : « Y avait-il un message avec ce paquet ?
— Non, Madame, rien que le paquet. »

Alors Mina court vers le téléphone ; c'est un
signe, Madame veut la voir. Elle appelle,
entend la sonnerie résonner longtemps, longtemps. C'est le chauffeur, celui qui a un visage
en forme de museau de poisson qui répond.
« Je le croyais viré, celui-là », pense Mina.
Obséquieux, il suce ses mots avant de les
balancer. « Que Madame me pardonne, mais je
dois demander à Madame si elle désire vous
parler. C'est moi qui lui transmets les messages
dorénavant. — Mon cul, hurle Mina. Je veux
parler moi-même à Madame. Dites-lui que
Mina a besoin d'elle. — Que Madame veuille
bien patienter. »

Les jambes lui manquent à Mina, elle doit
s'asseoir ; elle a une boule dans la gorge qui
l'empêche d'avaler et son cœur qui cogne si
fort. Ma parole, mais elle va pleurer... Elle n'a
pas lâché l'appareil, entend le chauffeur s'approcher, elle a le temps de penser encore « Il
prend son temps, cet enfoiré » et aussi « Je
parle et pense de plus en plus grossièrement. »
« Madame vous fait dire qu'elle n'a jamais eu de
fille. Au revoir, Madame. » Et il raccroche.

Alors Mina tremble, tremble un long temps. Puis, va à l'office, et en souriant du mieux qu'elle peut, dit à la cuisinière qu'elle lui offre son chien, qu'elle sait combien elle l'aime et combien elle est seule. Quant à elle, il faut qu'elle parte. Loin. « Oui, Monsieur est prévenu » — ce qui est faux. Puis, elle prend quelques bagages et part à l'hôtel.

A partir de ce jour-là, personne ne la revit, et très vite, tout le monde fut persuadé qu'elle était partie en voyage — ce qu'avait d'ailleurs affirmé son ami qui, passé le premier désarroi et une diarrhée incoercible lorsqu'il avait lu la lettre où elle disait gentiment, très gentiment « Merci pour tout et ciao ! », s'était plutôt senti mieux, seul.

Mais sûr qu'elle l'avait quitté pour un autre homme ! il s'était fait pourtant donner, secrètement tous les noms des absents de son ambassade, rien qui concordât. Puis il avait demandé, et payé beaucoup pour cela, à Gérard le maître d'œuvres de chez Maxim's, sous le sceau du secret lesquels de ses play-boys professionnels étaient absents : sûr qu'elle était partie avec un de ces grands beaux gosses.

Mais au bout d'une semaine mettons deux, sa

solitude lui redonna comme un petit air de jeunesse à l'ambassadeur : « Hé, mais c'est que je suis libre ! », et sa jeune liberté le rendait tout frétillant ; alors l'envie d'épouser une héritière française le reprit. « Une provinciale, je voudrais épouser une provinciale » et il trottinait en rêvant d'une dame petite, vêtue pour le week-end, d'un kilt écossais chaussée de mocassins bleu marine, et dotée d'une paire de fesses qui se balancerait pas trop haut au-dessus des genoux, « parce que c'en est fini des pouliches somptueuses, ça fait trop mal ».

Ces images l'affolaient. Cette fois, « elle ne boira que de l'eau, là je serai ferme. C'est mieux pour les enfants à venir ».

*
* *

Certains jours Madame ne boit rien et des heures durant, met de l'ordre dans ses papiers. Elle les relit, fait des piles. Puis, la nuit venue, les brûle, accroupie devant la cheminée, elle avance ses mains, paumes offertes, écarte les cuisses et se réchauffe ainsi jusqu'au plus profond d'elle comme quand elle était petite et glacée par les vents, alors que l'air est déjà lourd.

***

Aujourd'hui, Madame est ivre. Pourtant, debout, elle regarde la télévision, elle a exigé que ses deux gardes et le chauffeur soient là. « Rions ! » Elle s'énerve, Madame. « Mais pourquoi est-ce qu'on ne passe que des films américains, pleins de nègres et de Peaux-Rouges ? On est en France pourtant ? — Mais, Madame, risque le plus petit gardien — il est nouveau — mais non Madame, c'est Belmondo. Et d'ailleurs, tenez, regardez ses mains, elles sont blanches. — Pauvre petit, ils lui ont mis des gants pour tromper les imbéciles comme vous ! » Et le pauvre gardien ne peut que flanquer un coup de pied à la petite chaise dorée qui est là. Ça le calme tandis que l'autre gardien se marre.

* * *

Madame, au fond de sa Bentley qu'elle ne fait pratiquement plus sortir du garage, descend les Champs-Elysées. Elle porte ce soir une merveilleuse veste de vison blanc, ornée de gros boutons faits de turquoises. Ses pieds sont chaussés de mules d'appartement. Elle interdit que l'on abaisse, même un peu, les vitres de la voiture, ce qui met le chien hors de lui, tant il a, depuis des années, l'habitude de sortir sa truffe à l'extérieur. Exaspéré par la chaleur qui règne dans cette voiture, et cette couverture de vigogne blanche, malgré l'été qui est là, et dont Madame se couvre le bas du corps en l'y englobant, Toutou se débat en vain.

Elle a de plus en plus peur, Madame, et trouve les visages de plus en plus hideux. Elle est persuadée que tous la fixent et qu'ils vont la toucher, plus, l'extirper de sa voiture et la lyncher. « Si, si, je le sais. » Elle tape sur l'épaule du chauffeur : « Sortons de là, tournez immédiatement à gauche, je vous dis !

— Je me permets de faire remarquer à Madame que le feu est rouge et que la première à gauche est en sens unique.

— Mais qui est le chef ? C'est insensé ! Je vous chasse ! Sachez qu'il n'y a pas de sens unique pour Madame. »

C'est vrai qu'elle ne supportait pas de ne pouvoir passer là où elle voulait et, plus jeune, avait exigé des folies de ses chauffeurs qui souvent obéissaient !

*
* *

Ce soir elle est calme, Mina. Très calme. Tout à l'heure, dans la salle de bains, en voulant prendre un savon dans sa réserve, elle a fait tomber de l'étagère la petite boîte de plastique où elle range son diaphragme ; la boîte en tombant s'est ouverte et lorsqu'elle a ramassé le petit capuchon de caoutchouc brun trop sec, il s'est fendu, émietté entre ses doigts. Normal. Il y a des mois qu'elle ne s'en est pas servie... Elle a alors un sourire très doux : même de cela elle n'aura plus besoin.

C'est le lendemain, qu'elle prit l'avion pour rejoindre sa fille. On était en juillet.

* *

Madame tangue sur ses mules trop étroites,
les chevilles lourdes, enflées. Six heures, midi,
dix-sept heures, vingt heures. Les volets sont
fermés depuis des jours, assommée d'eau-de-vie
âpre, peu traitée, verte, que les gardiens lui
apportent en cachette, ajoutée à des calmants, à
des vitamines et fortifiants placebos donnés par
des sommités médicales qui viennent chercher,
certains jours de panique, jusqu'à deux fois dans
une journée, là, la liasse de billets, non décla-
rée, que pas un ne sait refuser... Quand vraiment
elle est sans liquide, que d'autres valets, courti-
sans sont passés avant, ils font alors, ces
sommités médicales, signer des chèques pour
leur tapissier ou leur fourreur à Madame, allant
même jusqu'à lui dire, quand vraiment elle est
saoule à tomber par terre : « Vous avez eu un
malaise. Laissez le chiffre en blanc. » Et elle, la
redoutable en affaires, la terreur de groupes
entiers à travers le monde, signe des chèques en
blanc.

*
* *

« Mais qu'est-ce que c'est que toutes ces
bouteilles vides ? Vous savez, ce sont mes
domestiques qui les boivent. » « Pourquoi c'est
moi qui vous ouvre ? parce que c'est infernal ; ils
sont tous au fond, dans leur salle à manger, avec
cette télévision couleur que je viens de faire
livrer, la noir et blanc était trop triste. »

« Attends, attends toiletteur, je vais te
chercher un verre de porto... Car je n'ai pas de
domestique... Déjà plus d'un an que je les ai
chassés ; tous des communistes ! Toiletteur,
regarde-moi, montre-moi tes yeux. D'où viens-
tu ? »

Depuis toujours, elle cherche un regard, et
parfois elle s'immobilise devant un visage
d'homme. Sa main alors s'élève comme pour
toucher, mais sa main retombe. Toujours. Elle
secoue la tête alors, non, ça n'est pas le regard
qu'elle cherche. Parfois il y a des yeux gris-bleu
qui s'en approchent, mais la couleur qu'elle
cherche non, jamais elle ne l'a retrouvée.

« Toiletteur, viens boire avec moi », et le toiletteur recule, terrorisé par l'angoisse qu'il perçoit dans les yeux de Madame.

*
* *

Chaque fois qu'elle raccompagne un visiteur à la porte, porte plus verrouillée qu'une soutane n'était autrefois boutonnée, elle reste un assez long temps dans l'embrasure et crie tandis que l'ascenseur tarde à monter — Dieu qu'il est long cet ascenseur de la maison la plus riche de Paris : un veau tiré à la main... « Tu sais, je te laisserai des bijoux, des tableaux, tu verras. Et ton fils sera mon directeur. » Tout cela pas du tout à l'intention du partant, mais pour les voisins éventuels ou pour les gardes qui demeurent à chaque étage. Promesses qui ne s'adressent jamais en vérité, à celui ou celle qui part et qui, d'ailleurs, le sait parfaitement.

*
* *

Madame est agitée. Elle dit et répète sans cesse des chiffres : « 800... 27... 84... » et murmure le nom de Mina. Elle a raison, c'était son numéro de téléphone ; mais jamais, jamais ne le compose. Souvent, elle va jusqu'à un des appareils et fait un 8, un « 0 », encore un zéro, mais jamais ne continue plus avant.

Aujourd'hui elle se rappelle quelques autres numéros, mais ne sait plus chez qui ils sonnent. Et, à jeun, pourtant, mais agressive encore plus, injurie celui ou celle qui décroche sans savoir qui il est. Et puis elle boit, boit beaucoup, et ivre vers cinq heures, pleure au téléphone et curieusement appelle en disant parfaitement le nom de l'appelé : « Viens ma chérie, dit-elle à la Colombe, je suis seule depuis quatre jours, et je suis tombée. » La Colombe arrive, et le gardien refuse de la laisser entrer : « Madame a interdit sa porte. » Mais Madame ouvre, cille de ses yeux fous, elle a oublié qu'elle l'a appelée. Parfois même, hautaine, claque la porte affirmant qu'elle n'a pas demandé de nouvelle femme de chambre.

Aujourd'hui, elle s'approche de la Colombe, l'appelle par son nom, lui caresse le visage et la

conduit vers son boudoir trop chauffé. Elle a
même fait ajouter des radiateurs roulants. Le
chien, recouvert de deux manteaux, hurle à la
mort. Madame minaude et raconte son passé,
ses fiançailles. « J'étais pauvre, ma chérie,
pauvre mais si pure... Et tu sais, je frottais les
parquets... Mais tu sais, mon mari... » Et elle
refait son geste atroce du petit doigt recroquevillé. La Colombe ne dit rien, accepte une coupe
de champagne tiède, l'écoute, l'écoute mais sans
jamais répondre. Et puis Madame se dresse,
extirpe la Colombe de son fauteuil. Elle a
encore une force inouïe : « Salope, tu m'as
trompée ! Tu n'es pas Mina, tu venais me
voler... Ah ! mais je vous connais tous, je vais
porter plainte, moi, parce que tu sais —
magnifique de nouveau —, la justice et la loi
sont celles que je décide. Et tu vas voir ce que tu
vas voir. »

La Colombe, terrorisée, s'enfuit.

Un jour, aux Puces, un petit revendeur offre,
à la criée une dizaine de manteaux de fourrure.

L'un d'eux est très long avec un pelage d'une douceur « comme vous n'en avez jamais vu ! Mesdames-Messieurs, approchez... Fait d'une bête comme il n'y en a qu'une. Et regardez la doublure, toute doublée de fil d'or... Un manteau d'impératrice ! Pour rien ! »

Lorsque les policiers sonnent chez Madame, ils ont reçu une lettre anonyme sans doute d'un garde mécontent de ses copains ou qui n'a pas eu une part assez belle du butin, la lettre affirme que Madame se laisse piller. Quand ils arrivent, ses armoires sont totalement vides.

Routine, tradition, ils forcent Madame à les suivre au commissariat. Pieds nus, cheveux sales, dentier perdu, elle les suit, hébétée. Dit qu'elle n'a jamais eu de manteau de fourrure, et jamais jamais de fille. Et, là, elle se fâche et menace de porter plainte contre celui ou celle qui affirmera le contraire. Quant au nœud de serpents, « c'est un complot, Monsieur le commissaire ». Deux agents rient gras, un autre non.

* * *

Elle fait la moisson, tourne et tourne et donne des ordres aux ânes. Glane sur le tapis persan, puis dans les couloirs. Elle sème et glane, sa robe de chambre relevée comme un sac de jute à demi ouvert pour mettre le grain, et à grands gestes, mains serrées, régulièrement, inlassablement, ensemence les sols, les tapis et les couloirs de sa main vide, Madame.

*
* *

Un dimanche — on était en août — Madame avait payé ses gardes encore plus que d'habitude : « Allez vous amuser, mes petits, mais pensez à moi. » Son chauffeur — celui qui l'entretenait si bien dans ses terreurs et qu'elle avait finalement renvoyé, mais il la guettait lorsqu'elle sortait encore et, muet, lui offrait alors une fleur — était caché dans l'escalier de service. A vrai dire, il lui manquait, et à l'insu de ses directeurs et secrétaires, elle le revoyait et « l'aidait », le pauvre. Et ce jour-là, les poches de sa robe de chambre et son sac pleins de billets de 500 F, elle le fit entrer. « Que Madame soit contente, j'ai tout ce qu'elle m'a demandé. — Coiffe-moi, habille-moi... »

Elle qui jamais n'acceptait un tiers dans sa salle de bains, le laisse entrer... Et là il la coiffe, la frotte d'eau de toilette, lui dessine un trait de crayon sur ses sourcils qui ont blanchi, l'habille, lui glisse son dentier dans la bouche.

Puis, passant par l'ascenseur de service, descendent tous deux au garage. Et elle, recroquevillée au fond de la Bentley, cachée sous sa couverture blanche malgré la canicule, ils sortent.

Alors commence la visite systématique des hôtels parisiens de Madame — ce qu'elle n'a pas fait depuis des mois. D'abord, celui de l'avenue Kléber, puis celui de l'avenue George-V, et celui de la Concorde... Elle se fait servir un dîner dans un des plus beaux appartements de l'hôtel de la rue La Trémoille.

Elle a l'air si lasse, dans son petit manteau de piqué rose et elle porte un cabas si lourd, et pourtant, elle refuse que gérant, maître de rang ou groom le lui tienne.

A chaque hôtel, elle prie qu'on lui ouvre une chambre, qu'elle choisit toujours au troisième

étage. Là, elle s'enferme avec le chauffeur.
« Encore sa manie de tout contrôler qui la
reprend », pense un de ses directeurs. Et un
autre… : « Tiens, elle s'envoie enfin en l'air.
Ça devait finir comme ça ! », et il regrette de ne
pas s'être mis sur les rangs.

Chaque fois qu'elle sort d'un de ses hôtels, du
bout de son escarpin, elle esquisse comme un
dessin sur le seuil : « Mais qu'est-ce qu'elle
fout, elle va se faire remarquer », pense le
chauffeur, qui a reçu la semaine d'avant des
liasses et des liasses de billets comme il ne savait
pas qu'il en verrait jamais.

Quant à ce qu'elle lui avait demandé, il en
avait. Et comme il l'avait volé il y avait plus de
dix ans, le bénef' était total. « Gonflée, la
vieille. » Il ne croyait pas que… mais la trouille
commence à le mordre au ventre. Aussi, passé le
deuxième hôtel, il n'entre plus dans les chambres avec elle.

Décidément, elle fait la grande visite ; dans
son hôtel de la place de la Concorde, en plus
d'une chambre, elle se fait longuement montrer
les cuisines et exige d'y rester un moment,
seule.

Cela lui prit des heures, puis tassée, cassée,

elle s'endormit au fond de la longue voiture, et le chauffeur dut la porter, jusqu'à sa chambre, laissant sur le siège arrière le cabas, vide.

A minuit deux il y eut une quinzaine de détonations, et tous les plus grands hôtels de Paris explosèrent et prirent feu. Les Parisiens crurent d'abord à un feu d'artifice, la veille d'un 15 août ? Bah, pourquoi pas ! Tout Paris était à ses fenêtres, mais il ne voyait qu'un ciel noir de fumée et une couleur ocre de vrai feu. Et quand toutes les voitures de pompiers se mirent à sortir en faisant hurler leurs sirènes, les Parisiens crurent alors que la ville avait été bombardée... A la radio, on parlait d'attentats politiques. Des ministres, des officiels — enfin ceux qui étaient à Paris une nuit du 14 au 15 août — brandissaient leur laissez-passer tricolore... Le devoir, ils ne savaient pas lequel, mais le devoir les appelait, les poussait vers les lieux sinistrés.

Et, pour la première fois à Paris, il fallut appeler les Canadair, qui devaient faire de gigantesques rotations pour aller pomper l'eau. On disait, mais que ne disait-on pas, que dix femmes en noir, le visage caché dans de longs châles s'étaient jointes au groupe de femmes de ménage et que c'étaient elles, qui avaient posé les bombes pour un organisme terroriste.

***

Madame dort.

Enlacés près de la grotte de Zeus, les deux adolescents s'aiment.

D'abord il lui a retiré son foulard, et de ses doigts, défait maintenant lentement sa tresse. Et puis lui retire son corsage. Elle rit, visage tendu vers lui, tremble un peu. Maintenant sa jupe large est à ses pieds. Elle est nue, il lui écarte les bras et la regarde, longuement. Lui caresse le corps, puis s'agenouille et enfouit sa tête dans sa toison blonde. Elle a peur, regarde autour d'elle. Mais de sa main, il lui appuie au bas du dos qu'elle se plie, et elle se plie. Seulement, alors elle recouvre son visage de ses cheveux tandis qu'elle geint. Enlacés au sol, il l'écrase un peu. Essaie de se faire léger, s'appuie sur ses coudes, mais tombe sur elle. La laboure.

C'est lui qui lui remet ses vêtements, après...

Il faut qu'ils partent. Le soleil bientôt va disparaître derrière la montagne.

Alors, il sort son briquet à mèche et brûle les herbes où ils se sont aimés « que personne, jamais, n'y marche ».

* *
*

Ça allait être l'aube, mais Paris avait vu clair toute la nuit tant les incendies avaient été violents. Un jeune pompier qui avait travaillé, toute la nuit, couvert de suie, avale une goulée d'air pur place de la Concorde... il est si courbatu qu'il esquisse un ou deux mouvements de gymnastique ; que son dos accepte de se plier de nouveau. Et tandis qu'il va poser sa main contre sa botte droite, baissé, il croit apercevoir dans le caniveau un petit morceau de pierre noire : « Nom de Dieu ! mais c'est un couteau d'obsidienne, une pierre taillée, mais ça va chercher dans les 3000 avant Jésus-Christ ! Hé, regarde ! » Et son copain, un gradé, ébahi de le voir s'extasier devant ce petit truc, se prend à rigoler : « 3000 avant Jésus-Christ, tu te touches, bonhomme ! » Tout en tournant un instant la petite pierre entre ses doigts, taillée à angles vifs et en six pans : « C'est vrai que ça a l'air taillé son truc. Remarque, c'est peut-être une espèce de baleine de col de chemise ou de corset... » Et il le laisse tomber et avant que l'autre qui, depuis son enfance, rêvait de découvrir des objets antiques, avant que l'autre ait eu même le temps de se pencher, il est sûr de lui, il en a vu cent fois des couteaux d'obsidienne au musée, et c'en est un ! Le gradé l'écrase du talon de sa botte et en riant dit : « Tu vois, ça a craqué comme du plastique ; c'était rien, ton machin. »

Dans l'avion, la jeune fille écrit des cartes et des cartes. Avant de monter, elle a signé un papier jurant sur l'honneur aux autorités qu'une fois ses études terminées, elle reviendrait. Bien sûr qu'elle ne reviendra jamais ! Elle l'avait d'ailleurs dit à sa mère qui ne veut surtout pas

qu'elle rentre. Et servir d'otage, elle, Mina, ça
ne la dérange pas. Plus, ça la fait sourire !

Elle écrit : « salut, salut », signe Ada, et
ajoute des croix et encore des croix.

Petite chatte heureuse. C'est la première fois
de sa vie qu'elle monte dans un avion... et elle
frotte, frotte sa nuque contre le velours du
fauteuil. Elle a, en arrivant, retiré le petit linge
de protection : elle veut le vrai velours contre sa
nuque. Lorsqu'elle est heureuse, il faut toujours
qu'elle y ajoute une volupté physique.

Elle a sommeil, car, après avoir quitté le bal,
comme la nuit était sans lune, elle a couru dans
la campagne jusqu'à un enclos. Là, elle s'est
bandé les yeux, et, en partant d'un angle et en
tâtant de ses doigts, a accroché un fil de laine
rouge sur le neuvième piquet. Elle s'est défen-
due de le toucher, de le tâter, mais quelle envie
de tricher ! Et ce matin, à l'aube, elle y a couru.
Miracle ! le piquet était beau, lisse. Donc le
garçon qu'elle aimera en France sera beau ! Si
elle avait trouvé son fil sur un vieux sarment
noueux, elle serait partie bien moins heureuse,
bien moins sûre... Serait-elle partie ? Oui,
quand même.

Hier soir, elle dansait avec son petit amoureux, c'était leur dernier rendez-vous. Et elle avait dit : « C'est maintenant que je coupe ma natte », natte qu'elle portait enroulée depuis toujours autour de la tête. « Donne-la-moi », avait supplié le garçon. Alors d'un coup, avec une paire de ciseaux qu'elle gardait dans son sac, elle l'avait tranchée à la racine, et avant que son amoureux ait pu la saisir, l'avait jetée dans le fleuve qui coulait au bas de la salle de bal. Et elle riait, riait, la jeune Ada : « Je ne donne ma tresse à personne, à personne, tu m'entends. » Et le garçon lui avait lâché le bras : c'était la première fois qu'il apercevait cette lueur-là dans ses yeux. Il recula même.

Elle signe, signe, et multiplie des petites croix, et rit. Mais son stylo fuit, ne supporte pas l'altitude. Alors, de ses doigts tachés, elle fouille dans son petit sac de toile brodée, y trouve une feuille de papier. Sa mère y a écrit une adresse à Paris, celle d'une vieille dame qu'elle aimait beaucoup : « La vieille dame aidera la jeune fille, elle en est sûre, d'ailleurs elle lui a écrit. » Mais la jeune Ada n'a pas vraiment écouté. Ah si, sa mère lui a dit aussi

qu'elle vivait dans le plus bel immeuble de
Paris...

Tout à l'heure, à l'aéroport, avant le décol-
lage, sa mère a pleuré, comme ça, tout d'un
coup, et a murmuré : « S'il te plaît, va voir la
vieille dame, elle a besoin de toi et toi d'elle. »
Elle a dit aussi qu'elle partait dans la montagne
se reposer et qu'elle ne donnerait pas de
nouvelles, Ada était adulte maintenant, et elle a
souri, mais le regard mouillé de larmes, ce qui a
beaucoup agacé sa fille. En public ! Et devant
ses amis, venus, eux aussi, lui dire « au
revoir ». Non, sa mère n'était pas comme ça
avant d'aller vivre à Paris.

Elle lui avait dit aussi : « Souviens-toi, tu es
Ada IV. — Pas du tout, avait répondu la jeune
fille agacée de ce mélo, je suis Ada, tout court.
C'est déjà assez bête que je m'appelle comme
toi ; d'ailleurs je changerai de nom dès mon
arrivée là-bas. » Et pour que cette scène finisse,
elle avait glissé le papier dans son sac sans même
regarder l'adresse. Elle n'a pas l'intention d'aller
rendre visite à la vieille dame.

Maintenant elle le roule, en fait une cigarette
serrée, très serrée, et l'enfonce dans le capuchon
de son stylo gorgé d'encre, puis elle le déplie un

peu et entoure le haut de la plume pour éviter
de se tacher les doigts en continuant d'écrire.

Paris. Le sol d'Orly est gluant, c'est un
15 août torride. Et le taxi qu'elle prend lui dit
qu'il y a eu la nuit précédente, de gros incendies
et des embouteillages plein Paris ; et que, donc,
il va prendre le périphérique... Mais que fait-
il ? veut-il la promener ? A-t-il manqué une
porte ? Il roule, roule et sort finalement porte
Dauphine pour remonter vers les Champs-
Elysées. Le ciel est encore noir de fumée au-
dessus de l'Arc de Triomphe. Des gens à pied,
beaucoup, regardent le ciel. Le taxi ralentit et
Ada baisse sa vitre. L'air est chauffé à rouge, des
escarbilles noires volettent jusqu'à eux et ses
yeux se fixent sur un étrange immeuble lourd.
Au quatrième étage, tous les volets sont clos.
Alors la jeune Ada se penche, tapote l'épaule du
chauffeur, et en un joli français lui dit : « Vous
voyez, un jour, moi j'habiterai là... » Et elle
montre les volets fermés.

Dans le rétroviseur, le chauffeur la regarde ;
elle s'est laissée aller, maintenant, contre les
fauteuils arrière et de sa nuque, se creuse une

petite place. Elle a l'air lasse. « Elle est si jeune pourtant, et rudement belle, pense-t-il, je me la ferais bien », quoiqu'elle ait quelque chose dans le regard qui le pétrifie. Lui qui a pourtant la gaudriole facile.

Ils vont arriver place de l'Etoile, des voitures de pompiers en redescendent. Les hommes harassés ont retiré leur casque. Certains, assis, dorment, tête écrasée contre la poitrine.

Ada baisse alors complètement la glace, et juste devant une trouée de l'Arc de Triomphe, sort son bras gauche et de sa main droite le frappe violemment en son centre, que son poing se lève et hurle : « Moi, je serai heureuse ici... » Puis elle parle vite, très vite en une langue que le chauffeur ne connaît pas. Il est choqué, très choqué de ce gigantesque bras d'honneur, alors, il se désintéresse d'elle. « Une dingue, dis donc pourvu qu'elle me paie ! » Elle, elle rit. A vrai dire, elle ne sait pas très bien ce que veut dire ce geste, elle est si petite encore.

***

Elle marche, Ada III. Il avait dit, le vieux :
« C'est par le col le plus étroit que nous sommes
passés et il fallait passer un à un de biais entre
les deux arêtes de roches, c'est le seul moment
où ta mère t'a descendue de son dos... » Des
jours elle a tourné, contourné les pics, mais sans
neige, tous ces pics ont l'air si doux. Et puis, il
y a une route, qui longe le lac maintenant, et
même quelques maisons. Pourtant le vieux
avait toujours dit que c'était désert. Totalement
désert.

Et alors qu'elle désespère de trouver la passe,
l'unique passe, elle voit un aigle ; un aigle qui
planait et piquait depuis des heures à côté
d'elle. Elle l'a vu s'élancer et s'est tendue : « Il
va se fracasser contre le pic ! » ; pourtant un
instant plus tard, après l'avoir cru perdu, il est
loin, et en deçà du sommet. La passe, il a pris la
passe ! Alors elle a ramassé le ballot qu'elle
traîne avec elle et lentement, très lentement se
dirige — elle a tout son temps maintenant —
vers la passe que l'aigle lui a montrée.

C'est vrai qu'il est étroit ce passage, et que
l'on ne peut s'y glisser que de biais. Aussi, elle a
fait d'abord passer son ballot, qui se plie

aisément à la forme que lui donne la montagne. Puis elle passe en oblique, en se rabotant les seins. Avec seulement sa petite robe d'été. Il fait froid. C'est haut. « Mais comment a-t-elle pu faire, Ada II, et ses hommes et leurs fusils ? »

Après le col, en bas, il y a le lac, la plaine, des troupeaux de bœufs et de vaches. Elle descend en courant, elle a un rendez-vous. Elle rit. Des champignons roses, en août ? C'est vrai que le temps est frais, comme si l'été n'arrivait pas jusqu'ici.

Elle s'allonge, près du lac, et dort un long temps. Puis ouvre le ballot qu'elle porte depuis qu'elle a quitté sa maison en ville. La boule se détend aussitôt et se regonfle : c'est son manteau de zibeline, qui à peine décomprimé redevient spumeux, aérien. Un instant, elle plonge son visage dans la fourrure : comme elle l'a aimé ce manteau ! Comme elle l'a voulu ! Des mois il a été le but à atteindre. Elle en rit maintenant, tandis qu'elle glisse et reglisse ses mains, paumes à plat, dedans et secoue la tête pleine d'images d'accouplements loupés qui se bousculent. « Je ne l'ai pas volé », dit-elle à voix haute en s'écartant de lui. Puis elle fouille dans les poches et en retire des bijoux, des gourmettes, les lourdes, celles dont le bruit contre son verre l'avait rassurée si longtemps, quelques bagues... Le petit anneau d'or blanc et gris serti de diamants que Madame avait retiré de son doigt pour le lui tendre un jour alors qu'elles étaient à Venise, et qu'elles deux s'ennuyaient. Elle le glisse un instant à son doigt, hésite, le quitte, le fait tourner... Le soleil et les diamants se rencontrent un instant. Puis elle le remet dans le petit tas. « Finalement, pense-t-elle, il n'y en a pas beaucoup. » Elle garde au poignet les deux bracelets d'ivoire. Un soir, elle avait voulu les offrir à Madame qui lui avait dit combien elle en avait eu envie autrefois. Elle les avait offerts alors à Madame, elle les avait acceptés et les lui avait instantanément redonnés : « Ils te vont bien mieux qu'à moi, mais je suis contente que tu aies fait ce geste. » Et elle s'était penchée, Ada, et lui avait donné un baiser. Un seul. Si doux.

Puis elle commence de ramasser les deux manches et les deux coins du bas du manteau pour les nouer. Mais c'est trop léger, ce qu'il y a en son milieu... « C'est tout ce que j'ai gagné finalement », et elle rigole d'un rire énorme, vulgaire, celui qu'elle aime, un vrai rire mais qu'elle ne se permet pas souvent, Mina.

Alors elle va chercher des cailloux au milieu des éboulis. Il y a là d'étranges galets striés d'une barre blanche — on dirait des galets de mer. Elle s'amuse jusqu'au soir à choisir les plus parfaits, range les plus ovales avec les plus ovales, les plus ronds avec les plus ronds — elle en a presque une centaine le soir. Alors elle trie, parmi la centaine, les plus beaux parmi les plus beaux, et les ajoute aux bijoux, et noue enfin le manteau, ce qui lui fait, serré de nouveau, exhaler un parfum dont elle s'est longtemps inondée.

Elle a faim. Alors elle va cueillir des champignons, des roses et des mousserons. Assise au bord du lac, les pieds bien droits devant elle, sages, incongrus, comme ceux des enfants que l'on assied et qui n'osent plus bouger... elle mange les champignons écrasés dans sa paume, et, alors qu'il ne lui en reste qu'un ou deux, prend le petit flacon au creux de la poche de sa robe et le verse sur les champignons qui, comme brûlés, ont un spasme avant de se recroqueviller et de devenir tout noirs. Elle les avale alors très vite, sans les mâcher, et de sa main en coupelle ramène un peu d'eau du lac qu'elle boit.

Alors elle se lève, prend le baluchon de fourrure et se dit en souriant : « Tout le monde fait comme ça... » et quitte ses souliers, les pose doucement au-delà de la frange de terre humide, qu'ils ne s'abîment pas, et commençe d'avancer dans le lac. Elle avance de biais, elle a toujours aimé le contact de l'eau sur son sexe. Arrivée à mi-hauteur, elle lâche son baluchon qu'elle portait jusque-là bras tendus au-dessus de sa tête. Il lui faut l'enfoncer longuement de ses deux mains ; il ne veut pas, il rebondit, nerveux, les poils de la fourrure se tendent ; mais elle veut en finir, elle a un rendez-vous. Aussi, elle appuie de tout son corps dessus. Enfin, il ne remonte plus.

Elle continue, mains collées au corps, d'avancer. Mains au corps collées pour empêcher sa robe si légère de se gonfler, qui trempée, laisse voir les deux chaînes d'or et le lacet noir qu'elle porte autour du ventre.

L'eau lui arrive au cou. Lourde de sommeil maintenant, elle a si peine à fendre l'eau pour avancer qu'elle plie les genoux. Elle pense à un petit bouquet de crocus puis murmure : « J'arrive, Ada II », et dit tout haut : « Mais tu marches trop vite, tu sais, je suis fatiguée, moi. » Et elle tend la main gauche, la noue à une autre, qui est plus haute, tandis que dans sa main droite, elle tient serré, serré, le petit caillou blanc arrondi que Madame lui a envoyé, longtemps après le réveillon. Elle lève les yeux et alors, tout tout son visage rayonne.

Il y eut un remous, un seul, plus petit que pour la zibeline, et des ronds, peu, qui se formèrent et s'étendirent pour disparaître vite.

***

15 août.

Madame a fermé, en les claquant, tous ses volets. Elle a chassé tous ses gardes. Egorgé son chien.

Madame meurt. Peut-être s'est-elle empoisonnée, sans doute s'est-elle empoisonnée, ses doigts sont bleus.

De sa main, elle cherche quelque chose sur ses oreillers. De sa vie en Amérique, elle a pris l'habitude de poser sa tête sur des petits oreillers

carrés, enveloppés de dentelle, et sa main s'y
perd et cherche.

Sur les murs de soie bleue, sales, des traces
brunes : Madame a essayé d'écrire quelque
chose, mais ça ne veut rien dire. Ou plutôt elle
a dû écrire une phrase, puis l'effacer. Mal. On
peut lire « je », — après c'est totalement
brouillé.

Sa main remonte jusque dans ses cheveux,
puis descend et cherche encore dans le vide. Les
sirènes des pompiers qui rentrent à leur caserne
s'entendent jusque dans sa chambre. Par les
raies des volets, des faisceaux de soleil traversent la pièce.

Elle meurt, Madame, tandis que de sa main,
elle cherche, peut-être, sa natte.

Achevé d'imprimer le 5 novembre 1982
sur presse CAMERON,
dans les ateliers de la S.E.P.C.
à Saint-Amand-Montrond (Cher)
pour le compte des éditions Grasset

N° d'Édition : 5970. N° d'Impression :1667.
Première édition : dépôt légal : septembre 1982.
Nouvelle édition : dépôt légal : novembre 1982.
Imprimé en France

ISBN : 2-246-25491-4